Mães arrependidas

Orna Donath

*Com a colaboração de
Margret Trebbe-Plath*

Mães arrependidas
Uma outra visão da maternidade

Tradução de
Marina Vargas

2ª edição

Rio de Janeiro
2022

#REGRETTING MOTHERHOOD. Wenn Muetter bereuen,
by Orna Donath com a colaboração de Margret Trebbe-Plath

© 2016 by Albecht Knaus Verlag

Uma divisão de Verlagsgruppe Random House GmbH, Munique, Alemanha
www.randomhouse.de

"Este livro foi negociado por intermédio de Ute Körner Literary Agency,
S.L.U., Barcelona – www.uklitag.com"

A editora agradece a Igor Drey pela indicação deste livro.

Título original: Regretting Motherhood

Tradução © Civilização Brasileira, 2017

Capa: pianofuzz

CIP-BRASIL. CATALOGAÇÃO NA PUBLICAÇÃO
SINDICATO NACIONAL DOS EDITORES DE LIVROS, RJ

D731m
2ª ed.

Donath, Orna
   Mães arrependidas: uma outra visão da maternidade /
Orna Donath; tradução Marina Vargas. – 2ª ed. –
Rio de Janeiro: Civilização Brasileira, 2022.
252 p.: il., 23 cm.

Tradução de: Regretting motherhood: wenn muetter bereuen
Inclui bibliografia
ISBN 978-85-200-1350-2

1. Maternidade - Aspectos psicológicos. 2. Arrependimento.
I. Vargas, Marina. II. Título.

17-44789

CDD: 306.8743
CDU: 316.812.1-055.26

EDITORA AFILIADA

Todos os direitos reservados. É proibido reproduzir, armazenar ou transmitir partes deste livro, através de quaisquer meios, sem prévia autorização por escrito.

Texto revisado segundo o novo Acordo Ortográfico da Língua Portuguesa.

Direitos desta tradução adquiridos pela
EDITORA CIVILIZAÇÃO BRASILEIRA
Um selo da
EDITORA JOSÉ OLYMPIO LTDA.
Rua Argentina, 171 – Rio de Janeiro, RJ – 20921-380 – Tel.: (21) 2585-2000

Seja um leitor preferencial Record.
Cadastre-se no site www.record.com.br e receba
informações sobre nossos lançamentos e nossas promoções.

Atendimento e venda direta ao leitor:
sac@record.com.br

Impresso no Brasil
2022

"Em vez de perguntar: Como pode ser verdade?
Poderíamos perguntar: E se fosse verdade?"

Arthur Bochner

Sumário

Introdução	9
A que nos referimos quando falamos de arrependimento?	14
O estudo	17
Um mapa dos caminhos do livro	22
1. Os caminhos para a maternidade: O que a sociedade dita *versus* as experiências das mulheres	25
"Caminho natural" ou "liberdade de escolha"	26
Tornar-se mãe deixando-se levar pela corrente	34
Desejos e motivos ocultos para ter filhos	39
Tornar-se mãe com consentimento mas sem vontade	43
2. As exigências da maternidade: Aparência, comportamento e sentimentos que as mães deveriam ter	51
"Boa mãe", "mãe ruim": Sempre perseguindo as mães	53
Amar os filhos, detestar os filhos, detestar a maternidade	62
3. Mães arrependidas: Se eu pudesse não ser mãe de ninguém	69
Tempo e memória	70
Arrependimento: O desejo de desfazer o irreversível	74
Políticas de arrependimento, reprodução e maternidade	79
"Foi um grande erro": O ponto de vista das mulheres	83
Arrepender-se da maternidade, mas não dos filhos	92

Momentos de tomada de consciência 96
Vantagens e desvantagens da maternidade 107

4. Experiências de maternidade e práticas de arrependimento:
   Viver com um sentimento ilícito 117

   Quem eu era e quem eu sou 118
   A maternidade como uma experiência traumática 123
   Laços e grilhões do amor maternal 127
   A obrigação de cuidar 131
   Ser mãe: uma história sem fim 136
   Onde estão os pais? 141
   Fantasias de desaparecimento 147
   Viver separada dos filhos 155
   Ter ou não ter mais filhos 162

5. Quem é você, mãe? As mães arrependidas entre
   o silêncio e o discurso 171

   Tentar falar, ser silenciada 174
   "Os filhos sabem?" 179
   Para proteger: Silenciar sobre o arrependimento 182
   Para proteger: Sentir-se responsável por contar a eles 187

6. Mães-sujeitos: Investigar o estado das mães
   por meio do arrependimento 197

   Recorrer às mães: vantagens e desvantagens 198
   Satisfação na maternidade: É apenas uma questão
   de condições? 204
   De objetos a sujeitos: Mães como seres humanos,
   a maternidade como uma relação 218

Epílogo 225
Notas 233
Agradecimentos 249

Introdução

"Você-vai-se-arrepender
Você
Vai se arrepender
de não ter filhos!"

Essas poucas palavras ficaram gravadas em mim em 2007, quando concluí uma investigação sobre a falta de desejo de homens e mulheres judeu-israelenses de serem pais. A profecia fatal nessas palavras, lançada repetidas vezes sobre quase toda pessoa que não queira ter filhos em geral, e nem ser mãe em particular, continuou a ecoar em minha mente: Elas com certeza vão se arrepender. As mulheres se arrependem de não ser mães. Ponto final.

Essa sentença definitiva me inquietava. As ideias se atropelavam em minha mente. Era difícil, para mim, aceitar a determinação dicotômica que estabelece de forma contundente o arrependimento em relação à decisão de *não* ter filhos como uma arma com a qual ameaçar as mulheres, ao mesmo tempo que qualquer possibilidade de pensar no arrependimento depois de dar à luz e desejar voltar à condição de não ser mãe de ninguém é simplesmente ignorada.

Comecei minha pesquisa em 2008.

Ela teve início em Israel – um país onde, em média, cada mulher dá à luz três filhos;[1] um índice de fertilidade total mais elevado do que a média dos membros da Organização para a Cooperação e Desenvolvimento Econômico (OCDE), que é de 1,74, mas se mostra relevante em vários outros países ocidentais, como nos Estados

Unidos, onde o índice é de 1,9, e em vários países europeus, como Áustria, Suécia, Estônia e especialmente Alemanha, cujo índice é de apenas 1,4[2] e onde as mulheres parecem ter mais espaço para transitar entre suas inclinações relativas à maternidade, embora ainda precisem lidar com a pressão social para tomar a decisão "certa" e ser mães.

Não importava o país que eu analisasse, as mulheres davam à luz e criavam os filhos enfrentando enormes dificuldades no que diz respeito à maternidade, entretanto o arrependimento mal era mencionado.

Insisti em abordar essa situação guiando-me pelo pressuposto de que nosso campo de visão social é limitado, pois não nos deixa ver nem ouvir algo que existe, mas para o qual ainda não há uma via de expressão: já sabemos que a maternidade pode ser para as mulheres a relação que lhes permite experimentar, como nenhuma outra, sentimentos de realização, alegria, amor, conforto, orgulho e satisfação. Sabemos que a maternidade pode ser ao mesmo tempo uma arena saturada de tensões e ambivalência capaz de gerar impotência, frustração, culpa, vergonha, raiva, hostilidade e decepção. Sabemos que a maternidade pode ser por si só opressiva, já que reduz as possibilidades de movimento e o grau de independência da mulher. E já começamos a nos mostrar dispostos a compreender que as mães são seres humanos capazes de, consciente ou inconscientemente, ferir, maltratar e algumas vezes até mesmo matar. Não obstante, continuamos desejando que essas experiências de mulheres de carne e osso não destruam nossa imagem mítica da mãe, e, portanto, ainda relutamos em admitir que a maternidade – como tantos outros domínios de nossa vida com os quais estamos comprometidos, sofremos e nos importamos, e que, portanto, nos fazem desejar voltar atrás e fazer tudo diferente – também está sujeita ao arrependimento. Mesmo que as mães enfrentem dificuldades, não é esperado nem permitido que sintam e pensem que a transição para a maternidade foi um movimento infeliz.*

Sem uma forma de expressão e à luz dessa relutância que situa a maternidade além da experiência humana do arrependimento, arrepender-se de ser mãe é algo de que quase nunca se fala, tanto no debate público[3] quanto nos escritos teóricos interdisciplinares e feministas sobre a maternidade; a maior parte da literatura existente sobre os relatos das mães se concentra nos sentimentos e nas vivências de mães de bebês ou crianças pequenas, ou seja, no período logo após a transição para a maternidade. A relativa escassez de referências às experiências de mães de crianças mais velhas sugere que se dá pouco espaço às narrativas retrospectivas das mães ao longo dos anos. Além disso, a maioria do que se escreve sobre a atitude das mulheres diante da *própria transição para a maternidade* se encontra na literatura que trata da recusa das mulheres em se tornarem mães. Assim, faltam relatos com uma visão retrospectiva por parte das mães, e a questão se restringe, na maior parte das vezes, às "outras mulheres", aquelas que supostamente nada têm a ver com a vida das mães.

À luz desse mapa, parece que "até mesmo" nas teorizações feministas sobre o assunto não há lugar para a reavaliação, muito menos para o arrependimento.

Nas poucas ocasiões em que o tema das mulheres que se arrependeram de ser mães foi abordado na internet[4] nos últimos anos, a tendência foi ele ser visto como objeto de descrença, ou seja, algo que tinha sua existência negada, ou como objeto de fúria e distorção. As mães que se arrependiam eram rotuladas como mulheres egoístas,

---

* Estudos demonstram que o arrependimento incorpora elementos cognitivos (como imaginação, memória, julgamento e avaliação) e aspectos emocionais (como sofrimento, luto e dor). Seguindo a formulação de Janet Landman, que identifica o arrependimento como uma experiência de razão sentida ou emoção racionalizada, e como considero que a tentativa de criar uma distinção marcada entre as duas coisas com frequência é arbitrária e imprecisa, ao longo do livro refiro-me ao arrependimento como uma postura emocional.

dementes e transtornadas, seres humanos imorais que demonstram que vivemos em uma "cultura da lamentação".

Essas duas maneiras de reagir podem ser vistas claramente no acalorado debate que teve início em diversos países do Ocidente, especialmente na Alemanha, em abril de 2015, em torno da hashtag *#regrettingmotherhood*, em seguida a um artigo que escrevi sobre a questão publicado no periódico acadêmico *Signs*[5] e depois de uma entrevista que concedi sobre o tema à imprensa alemã.[6]

O intenso debate que se seguiu a essas publicações foi tomado por uma enxurrada de condenações a mães arrependidas, junto com uma grande quantidade de testemunhos de alívio por parte de mulheres que lamentavam ter se tornado mães. Além disso, um número desconhecido de mulheres e mães reforçou a importância de discutir – por meio do arrependimento – sua angústia por se verem obrigadas à maternidade ou por serem as principais responsáveis pela criação dos filhos. Centenas de textos publicados em blogs de parentagem e de maternagem e em redes sociais aproveitaram o momento para externar (finalmente ou uma vez mais) sentimentos íntimos que ficavam em sua maioria encerrados entre quatro paredes devido ao desejo de evitar os duros julgamentos e críticas da sociedade.

O vívido debate surgido na Alemanha em relação ao arrependimento, que basicamente girava em torno do conceito dual da "mãe perfeita" em oposição à "mãe negligente", deixou claro que enfrentamos uma ampla variedade de emoções que imploram para serem abordadas, além do arrependimento. Ficou evidente que ainda falta algo que espera na ponta da língua para ser expressado e ouvido de maneira profunda, enquanto se dissipam todas as dúvidas sobre o fato de que se arrepender da maternidade ainda é um tabu arraigado.

Por meio da minha pesquisa, que se estendeu de 2008 a 2013, me propus a dar espaço pela primeira vez a tantas coisas não ditas, ouvindo mulheres de diferentes grupos sociais que se arrependiam de ter se tornado mães; algumas delas já avós.

Neste livro, retraço os diversos caminhos que as levaram à maternidade, analiso seu mundo intelectual e emocional depois do nascimento dos filhos e conceitualizo seu sofrimento e os conflitos angustiantes presentes em sua vida como resultado da discrepância entre o desejo de não serem mães de ninguém e o fato de que *são* mães de seus filhos. Além disso, investigo as formas por meio das quais diferentes mulheres reconhecem e lidam com esses conflitos.

No entanto, não estou interessada apenas em reconhecer a existência do arrependimento de ser mãe. Esse tipo de enfoque poupa a sociedade de sua parcela de responsabilidade: quando personalizamos o arrependimento como a incapacidade de se adaptar à maternidade, como se essa determinada mãe tivesse que se esforçar mais, estamos esquecendo como diversas sociedades ocidentais tratam as mulheres, ou, talvez mais precisamente, como ignoram as mulheres, uma vez que as sociedades parecem se eximir da culpa por empurrar veementemente todas as mulheres consideradas física e emocionalmente saudáveis não apenas para a maternidade, mas também para a solidão de lidar com as consequências dessa persuasão. Dessa maneira, o arrependimento não é "um fenômeno", como se sugeriu em vários debates públicos; não é um convite a assistir a um "circo emocional" com "mulheres pervertidas". Se pensarmos nas emoções também como uma maneira de se manifestar contra os sistemas de poder,[7] então o arrependimento é um alarme que deveria não apenas instar as sociedades a facilitarem as coisas para as mães, mas nos convidar a repensar as políticas de reprodução e nossas ideias sobre a obrigação de ser mãe. Tendo em vista que o arrependimento marca "o caminho não tomado", arrepender-se de ser mãe indica que há na verdade caminhos que a sociedade proíbe as mulheres de tomarem, eliminando *a priori* vias alternativas como a não maternidade. E dado que o arrependimento constrói pontes entre o passado e o presente, entre o tangível e o recordado, arrepender-se de ser mãe deixa claro que se exige das mulheres que se lembrem de algumas coisas e se esqueçam de outras, sem olhar para trás.

Além disso, como o arrependimento é uma das reações emocionais a todo ponto de encontro humano e ao encontro de nós mesmos com as consequências das decisões que tomamos ou fomos obrigados a tomar, arrepender-se de ser mãe lança luz de um ângulo diferente sobre nossa (in)capacidade de tratar a maternidade como apenas mais uma das relações humanas, e não como um papel ou um reino de sacralidade. Nesse sentido, o arrependimento pode ajudar a abrir o caminho para romper com a ideia de que as mães são objetos cujo propósito é servir constantemente aos outros, vinculando estreitamente seu bem-estar ao dos filhos, em vez de reconhecê-las como sujeitos individuais, donas de seu corpo, seus pensamentos, suas emoções, sua imaginação e suas memórias, e capazes de determinar se tudo isso valeu a pena ou não.

A que nos referimos quando falamos de arrependimento?

Em vários países onde se discutiu o arrependimento em relação à maternidade, algo interessante aconteceu: o debate passou rapidamente a centrar-se na ambivalência materna, algumas vezes deixando de lado o ponto de partida, ou seja, o arrependimento em si. Essa tendência poderia ser explicada pelo fato de que o arrependimento se encontra, na verdade, em meio a uma ampla variedade de experiências conflituosas da maternidade em uma sociedade que suplica às mães que permaneçam em silêncio.

No entanto, não se trata da mesma coisa: ao passo que uma experiência de arrependimento pode envolver sentimentos contraditórios em relação à maternidade, a ambivalência em relação à maternidade não implica necessariamente arrepender-se dela. Há mães que experimentam sentimentos ambivalentes, mas não se arrependem de terem filhos, e há aquelas que se arrependem de terem se tornado mães e não têm sentimentos contraditórios em relação à maternidade. Em outras palavras, o arrependimento não trata da questão de *como ficar em paz com a maternidade*, e sim da experiência de que *tornar-se mãe foi um erro*.

Minha insistência para que o arrependimento em relação à maternidade não seja deixado para trás mais uma vez e permaneça no centro do debate deriva da compreensão de que confundir ambivalência e arrependimento, tratando-os como se fossem um mesmo e único conceito, impede que se ouça o que as mães que lamentam ter dado à luz têm a dizer. Se nos apressamos em falar apenas sobre as dificuldades da maternidade, esvaziamos de conteúdo o arrependimento e neutralizamos qualquer possibilidade de examinar o axioma de que a maternidade é necessariamente experimentada como algo que vale a pena no caso de todas as mães em toda parte, suposição sobre a qual o arrependimento lança luz. Além disso, essa confusão preserva o *status quo*, pois, ao empregar a linguagem da complexidade e da ambivalência, o que fazemos é dar meia-volta e nos afastar, mais uma vez, evitando lidar com uma das principais questões que surgem do âmago do arrependimento: a *questão da transição para a maternidade em si*, do espaço limitado que as mulheres têm como sujeitos que devem considerar e determinar por conta própria se querem dar à luz e criar filhos ou não.

No entanto, situar o arrependimento no centro da discussão sem dúvida também pode nos dizer algo sobre o estado das mães que, apesar de não se arrependerem, vivem a maternidade com dificuldades e talvez desejem eliminá-la de sua biografia de tempos em tempos, e que por outro lado são instadas a remover esse tipo de desejo "proibido" de seu histórico. Desse modo, a análise da maternidade centrada no arrependimento pretende servir a todas as mulheres que sentem os impactos dos construtos sociais; pode servir como um ângulo adicional para aprofundar o conhecimento sobre suas experiências e ajudar a compartilhar sua falta de solidão.

À luz do amplo espectro de experiências maternais com as quais nos deparamos, o primeiro critério para definir o arrependimento em meu estudo foi uma *autoidentificação das próprias mulheres* como mães arrependidas, que buscavam de maneira ativa participar desde o princípio de um estudo chamado explicitamente de "arrepender-se de ter filhos".* Esse não foi o único critério, uma vez que, durante o período de entrevistas, diversas mães me contataram pois estavam interessadas em participar do estudo, mas, durante as conversas com várias delas, me dei conta de que, embora vivenciassem ambivalência e conflitos na maternidade, não se identificavam como mães arrependidas. Portanto, não incluí seus dados empíricos no estudo.

Dois outros critérios me ajudaram a diferenciar a dificuldade e a ambivalência em relação à maternidade do arrependimento. O primeiro foi a resposta negativa à pergunta: "Se você pudesse voltar atrás, com o conhecimento e a experiência que tem agora, ainda assim se tornaria mãe?" O segundo foi obter uma resposta negativa à questão: "Do seu ponto de vista, há vantagens na maternidade?" Algumas das mulheres respondiam com um sonoro "não". Quando a resposta a essa pergunta era positiva, ou seja, quando a entrevistada acreditava que havia algumas vantagens na maternidade, eu perguntava em seguida: "Na sua opinião, as vantagens superam as desvantagens?", e a resposta era por fim negativa.

O cruzamento desses critérios aponta uma postura emocional que as mulheres do estudo vivenciavam como algo constante, uma vez

---

* Entre 2008 e 2011, também realizei entrevistas exaustivas com vários pais com idades entre 34 e 78 anos (incluindo um avô). Quatro anos depois de iniciadas as entrevistas, decidi que o estudo ia se concentrar no arrependimento provocado pela maternidade apenas, devido à incapacidade de me aprofundar o suficiente nos mundos da maternidade e da paternidade, com suas semelhanças e diferenças de conteúdo.

que algumas conviviam com ela desde a gravidez, desde o parto ou desde os primeiros anos da maternidade até o presente. Essa condição emocional também esclarece por que dizer "Eu sofro com a maternidade, mas o sorriso do meu filho faz tudo no mundo valer a pena para mim" não é o mesmo que dizer "Eu sofro com a maternidade e não há nada no mundo que faça isso valer a pena".

O estudo

Ao iniciar um estudo, um pesquisador pode descobrir que não tem ninguém com quem falar se o tema que pretende investigar é estigmatizado ou aparece com pouca frequência entre a população.[8]

Não sei, nem cabe a mim determinar, até que ponto é normal lamentar a transição para a maternidade. No entanto, se trata, sem dúvida, de uma questão que é objeto de estigmatização e considerada tabu. Por essa razão, não foi fácil promover encontros com mulheres que estivessem dispostas a discutir o arrependimento como parte de um estudo. E, de fato, durante aqueles anos, fui procurada por mulheres que expressavam seu pesar por terem se tornado mães, mas que em alguns casos interromperam o contato em meio às tentativas de marcar uma entrevista. Outras cancelaram a entrevista na véspera, porque, entre outras coisas, temiam expressar em voz alta uma postura emocional censurada que até então não tinham discutido com mais ninguém.

O contato com essas mulheres e com as que de fato participaram do estudo se estabeleceu de quatro formas. Em primeiro lugar, publiquei um anúncio em fóruns israelenses na internet relacionados com paternidade ou maternidade e família. Depois, falei e escrevi sobre o projeto de pesquisa em vários veículos de mídia e em conferências, do meu próprio ponto de vista como mulher que não deseja ser mãe. E em seguida, à luz de uma pesquisa pioneira que tinha realizado em

MÃES ARREPENDIDAS

Israel sobre pessoas que decidiram não ter filhos e cujo conteúdo mais tarde foi publicado na forma de livro. Em um terceiro momento, lancei mão do método informal boca a boca. E por fim recorri ao efeito bola de neve, por meio do qual mulheres que já tinham expressado seu desejo de participar me puseram em contato com outras mães que conheciam e com quem compartilhavam sentimentos semelhantes no que dizia respeito à maternidade.

Antes de escrever sobre as conclusões de minha pesquisa, falei com cada uma das 23 mulheres que participaram do estudo, algumas das quais eu tinha entrevistado mais de dois anos antes, e as convidei a escolher o nome sob o qual iam aparecer suas falas. Eis algumas de suas características biográficas e social-demográficas:

Idade: A idade das mulheres variava entre 26 e 73 anos; cinco delas eram também avós.

Nacionalidade e religião: Todas as mulheres tinham origem judaica. Quatro delas se definiam como ateias, doze como laicas, três como pertencentes a diversos setores religiosos, e três se recusaram a rotular o que viam como uma identidade religiosa híbrida.

Classe social: Sete das mulheres se definiam como de classe baixa, catorze como de classe média e duas como de classe média alta.

Educação: Onze das entrevistadas tinham diploma universitário, oito tinham completado os estudos secundários, três tinham formação profissional e uma cursava bacharelado na época da entrevista.

Emprego remunerado: Vinte das entrevistadas tiveram emprego em algum momento da vida, e algumas ainda estavam empregadas na época da entrevista; três delas, não.

Número de filhos: Cinco das mulheres tinham apenas um filho, onze tinham dois filhos, uma tinha gêmeos, cinco tinham três filhos (uma das quais tinha gêmeos, e a outra, trigêmeos), e duas tinham quatro filhos. A idade dos filhos variava entre 1 e 48 anos. Dos cinquenta filhos das entrevistadas, dezenove tinham menos de 10 anos, e trinta e um tinham idade superior a 10 anos. Nenhum tinha algum tipo de deficiência física, e cinco estavam na categoria de pessoas com necessidades especiais (no espectro do autismo e de transtorno de déficit de atenção e hiperatividade). Cinco das mulheres tinham usado tecnologias de reprodução assistida para engravidar.

Identidade sexual: Uma das entrevistadas se definiu como lésbica, mas teve relacionamentos com homens, por meio dos quais teve os filhos; as outras entrevistadas não especificaram sua identidade sexual, mas mencionaram seus relacionamentos heterossexuais.

Estado civil: Oito das mulheres eram casadas ou tinham um relacionamento estável, catorze eram divorciadas ou separadas e uma era viúva. Nenhuma delas foi mãe na adolescência ou mãe solo desde o início. Das catorze entrevistadas separadas, três não moravam com os filhos (eles viviam com o pai).

Para mim, não restava outra opção a não ser estudar o arrependimento causado pela maternidade por meio de um método qualitativo como entrevistas em profundidade, devido a uma razão principal: a maior parte dos estudos sobre arrependimento em geral é de caráter quantitativo, recorrendo a experimentos psicológicos realizados em laboratório nos quais situações hipotéticas são apresentadas a homens e mulheres e pede-se que eles avaliem como se sentiriam e agiriam em um mesmo cenário. Embora esses tipos de investigação tenham contribuído enormemente para a compreensão do arrependimento, eles com frequência se baseiam na separação dos participantes de sua história pessoal, desconectando o arrependimento de seus contextos sociais mais amplos.[9]

O presente estudo deseja empreender outros tipos de investigação, que permitam ampliar as fontes de conhecimento por meio da escuta de frases exatas, lágrimas, vozes elevadas, tons de cinismo, risos, pausas e silêncios – todas formas de expressar emoções que constituem pontos de partida para ter acesso não apenas aos sentimentos em si, mas a um eixo temporal e à possibilidade de situar esses sentimentos do ponto de vista das mulheres, no contexto de sua história pessoal e de uma história social mais ampla.

Pode-se perguntar qual é o valor científico de fundamentar uma pesquisa no relato de apenas 23 mães. O propósito do estudo e deste livro nunca foi apresentar uma amostra representativa que permita fazer generalizações sobre "as mães". Pelo contrário: o objetivo do livro e do estudo desde o início foi fazer o esboço de um complexo mapa no qual mães de diversos grupos sociais possam se situar, a fim de dar lugar a uma variedade de experiências maternais subjetivas. Dessa forma, o livro como um todo se afasta intencionalmente de fazer determinações definitivas sobre o mundo interior das mães em geral, ao mesmo tempo que confia que as mulheres saberão determinar se reconhecem a si mesmas nas entrelinhas.

O fato de eu não ser mãe de ninguém teve um significado especial para várias mulheres que participaram do estudo: durante as entrevistas, me perguntaram mais de uma vez se eu era mãe. Contrariando as diretrizes outrora comumente usadas para definir um estudo como científico – de acordo com as quais, como pesquisadora, eu não deveria responder a nenhuma pergunta direcionada a mim[10] –, eu respondi. No meu entendimento, não responder seria injusto com as mulheres que participaram do estudo, que tinham o direito de saber diante de quem estavam, em vez de apenas fornecer informações de forma unilateral, e também teria sido injusto comigo, pois eu tinha o direito de atuar como sujeito presente, tomando decisões baseadas em meu próprio critério e em minha percepção sobre como entrevistar e conversar.

Então respondi, e minha resposta, de que não sou mãe nem desejo sê-lo, nos permitiu continuar a discutir o assunto que nos reunira com ainda mais nuances: por um lado, algumas vezes provocava expressões dolorosas de frustração e inveja que faziam aflorar a essência do arrependimento em relação à maternidade, já que, para algumas delas, eu representava a figura de "mãe de ninguém" que desejavam ser com pesar. Minha condição as fazia se lembrar do caminho que não haviam tomado. Por outro lado, minha resposta deixava claro que eu não ia julgá-las durante nem depois de nossa conversa. Mais do que isso: em minha imaginação, se eu tivesse me tornado mãe, haveria grandes chances de também me arrepender. Portanto, as similaridades entre nós no que diz respeito a compreensão e imaginação talvez tenha criado uma linguagem comum, mesmo que momentânea e fragmentária.

Essa similaridade entre mães e não mães sugere que o mero *status* familiar não é necessariamente muito revelador. Ao longo do livro mostrarei que o *status* familiar propriamente dito pode por vezes ocultar um amplo espectro de atitudes emocionais que oscila entre "uma tendência para a maternidade" e "uma tendência para a não maternidade". Nesse sentido, as mulheres que não são mães devido a problemas de saúde, por exemplo, podem tender para a maternidade por sentirem um profundo desejo de dar à luz e criar filhos como fazem as mães, e as mulheres que são mães podem tender para a não maternidade por sentirem um profundo desejo de não ser mães de ninguém da mesma maneira que as mulheres que escolhem não ter filhos.

Ao admitir a existência desses cruzamentos, que passam por cima das categorias de "mãe" e "não mãe" como títulos que supostamente dizem tudo, podemos embaralhar as cartas da classificação binária da sociedade. Classificação essa que muitas vezes fomenta uma mentalidade de "dividir para conquistar" entre as mulheres em função de serem ou não mães, outra maneira de nos tornar rivais que supostamente não têm nada em comum em vez de aliadas, como este livro propõe.

Um mapa dos caminhos do livro

O Capítulo 1 aborda as expectativas sociais generalizadas nas sociedades ocidentais pró-natalidade no que diz respeito à transição para a maternidade. Como veremos, essas expectativas se expressam por meio de duas linguagens: em primeiro lugar, a "linguagem da natureza", de acordo com a qual as mulheres não têm escolha a não ser se tornarem mães, uma vez que esse parece ser seu destino biológico. Em segundo lugar, uma linguagem neoliberal, capitalista, pós-feminista, segundo a qual as mulheres hoje têm mais opções, e, portanto, o fato de tantas ainda se tornarem mães demonstra provavelmente que todas o fizeram por vontade própria.

Ao ouvir o que as próprias mulheres têm a dizer sobre como se tornaram mães, perceberemos que os diferentes caminhos que as levaram à maternidade são muito mais complexos. Essa diversidade pode nos mostrar que nem sempre está claro se a maternidade é algo que as mulheres perseguem ou algo que "simplesmente" acontece a elas.

O Capítulo 2 trata de um modelo de "maternidade exigente" que dita para as mães quem elas devem ser, que aparência devem ter, como devem se comportar, pensar e se sentir de acordo com regras afetivas estritas e uniformizantes. A referência a uma possível discrepância entre essas regras e as ações e posturas emocionais reais das mães vai servir como ponto de partida para explorar o arrependimento em relação à maternidade e aprofundar a distinção entre arrependimento e ambivalência.

O Capítulo 3 aprofunda o estudo do arrependimento, uma postura emocional de modo geral controversa e considerada "ilícita" no que diz respeito à maternidade em particular. Será mostrado como ele é usado socialmente para garantir que as mulheres tenham filhos, ameaçando-as com um futuro arrependimento e garantindo-lhes que as mães não olham para trás, entre outras coisas. Dessa forma, elas recebem uma imagem progressiva da figura feminina que inevitavel-

INTRODUÇÃO

mente se adapta à maternidade, como se fosse apenas uma questão de tempo. No entanto, as mães olham para trás.

O Capítulo 4 se concentra na promessa da sociedade de acordo com a qual o fato de ter filhos faz com que as mulheres deixem de ser "incompletas" e se tornem "plenas". Essa parte do livro deixa claro que, em vez de se sentirem completas depois do parto, as mães podem identificar a maternidade como uma carência ou até mesmo como um trauma. Além disso, veremos que o sentimento de infinitude, de ser mãe para sempre, mesmo depois que os filhos crescem, pode acompanhar a maternidade e ser em parte causa do arrependimento.

Nesse capítulo são expostas diversas práticas que se originam do conflito entre ser mãe e desejar não ser, como o suposto conflito entre o desejo de não ter filhos e o amor pelos filhos reais; fantasias de eliminar os filhos ou as próprias mulheres da equação familiar; estilos de vida que diferem das convenções hegemônicas; e a questão de ter ou não ter mais filhos à luz do arrependimento.

O Capítulo 5 analisa as tensões associadas ao ato de falar em público sobre o arrependimento em relação à maternidade, uma vez que as vozes das mães que se sentem insatisfeitas, confusas ou desiludidas ainda estão sujeitas a restrições e condenações. No âmbito dessa atmosfera social, o capítulo examina as negociações que as mães empreendem para decidir se devem falar com os filhos sobre seus sentimentos a respeito da ideia de a maternidade valer a pena ou se é melhor permanecer em silêncio em sua presença.

O Capítulo 6 pretende apontar dois principais significados que o arrependimento deve abarcar para não ser rechaçado pela sociedade. Em primeiro lugar, se refere a uma suposição comum segundo a qual o grau de satisfação com a maternidade, a adaptação a ela e a capacidade de manter alguma forma de bem-estar emocional dependem exclusivamente ou em grande medida das condições nas quais as mulheres criam seus filhos. Essa suposição foi referendada pela repercussão pública do estudo, uma vez que muitas mulheres consideram o arrependimento uma consequência de se verem forçadas a escolher entre ter filhos e ter uma carreira profissional, ou como resultado de sua luta diária para compatibilizar a maternidade e as oportunidades de trabalho sem o apoio da sociedade. Minhas conclusões mostram que isso deve ser questionado.

Em segundo lugar, o capítulo sugere que, para compreender o arrependimento em relação à maternidade em particular e dar mais espaço às mães em geral, a maternidade não deveria mais ser tratada como um papel, e sim entendida como uma relação humana como outra qualquer, ou seja, uma relação na qual as mães sejam sujeitos que examinam, pesam, avaliam e buscam equilíbrios que supostamente deveriam ficar limitados à "esfera pública" e sua lógica.

A esta altura, só me resta desejar que este livro e a grande quantidade de depoimentos intencionalmente apresentados nele, que reúnem uma diversidade de vozes, sirvam como um espaço comum para todas nós, mulheres e mães, que desejamos deixar de sofrer e insistimos em fomentar um debate que um dia promova uma mudança. Nós merecemos.

1. Os caminhos para a maternidade: O que a sociedade dita *versus* as experiências das mulheres

> "Há uma verdade comum, uma suposição de que todas queremos filhos e de que não seremos felizes se não os tivermos. Eu cresci segundo esses preceitos. E não é simples. Não é nada simples. E eu tenho três filhos. Não é simples. Existe uma dicotomia muito forte entre as mensagens que recebemos da sociedade e o que sentimos."
>
> *Doreen (mãe de três filhos com idades entre 5 e 10 anos)*

"Mulher-mãe."[1] Esse termo descreve de maneira concisa o que tem sido encarado como um fato transcultural desde o princípio da história humana: as mulheres não são apenas as principais cuidadoras de seus filhos, mas também mães em si mesmas.

Essa realidade é corroborada cada vez que olhamos ao nosso redor e vemos que de fato a maioria das mulheres se torna mãe. No entanto, esse olhar não nos diz nada sobre os diversos caminhos que as levaram à maternidade, tampouco sobre as diversas relações que têm com a ideia de dar à luz e criar filhos – antes e depois da transição para a maternidade. Há mulheres, por exemplo, que emocionalmente não estão interessadas em ser mães e preferem evitar qualquer relação ou interação cotidiana com crianças. Outras não têm um interesse emocional em ser mães, mas são atraídas pela companhia de crianças e, portanto, optam por profissões terapêuticas ou educacionais nas quais possam trabalhar com elas, ou passam tempo com sobrinhos ou outras crianças do círculo familiar. Há mulheres emocionalmente interessadas em adotar, mas não em ter filhos biológicos. Há mulheres que desejam ser mães, mas temem profundamente a gravidez e o parto e, assim, são levadas a evitar a maternidade. Há mulheres que não têm escolha a não ser serem mães devido a sanções sociais impostas em sua comunidade; outras não desejam a maternidade *per se*, mas sim obter algo por meio dela; há as que, apesar de não desejarem ser mães, consideram essa possibilidade devido à vontade de seu parceiro de ter filhos; e há mulheres que, em retrospecto, não têm certeza sobre a razão por que decidiram ser mães.

Conhecer os diversos caminhos que levaram as mulheres à maternidade deve ser o ponto de partida para estudar o arrependimento, uma postura emocional que questiona o desejo íntimo de ser mãe de alguém, mas não apenas isso. Também nos permite repensar a suposição comum segundo a qual a mera visão da maternidade significa um desejo *a priori* inquestionável de ser mãe, uma vez que é essa suposição que se usa para persuadir as mulheres a terem filhos. Como veremos adiante, a mera visão da maternidade não necessariamente revela as diversas posturas das mulheres em relação a sua condição de mães.

"Caminho natural" ou "liberdade de escolha"

A convenção social de acordo com a qual toda mulher deve dar à luz se baseia, em parte, em uma estreita correlação fundamental entre as mulheres e o corpo humano: a mulher é associada à natureza devido

OS CAMINHOS PARA A MATERNIDADE

a seu corpo fértil, capaz de engravidar, dar à luz e amamentar, o que é considerado de natureza animal.[2] Consequentemente, o corpo feminino é julgado pela capacidade de conceber ou não, uma vez que a capacidade da mulher de dar à luz é considerada a essência de sua vida e a justificativa para sua existência. As mulheres são consideradas "mães de toda vida", inundadas da torrente da vida e da luta humana pela sobrevivência. Essa forma de encarar as mulheres as enreda na teia da natureza, dado o pressuposto inquestionável de que o *potencial* reprodutivo da anatomia feminina *obriga* as mulheres a ser mães; elas são governadas passivamente por uma ordem fatalista que *não lhes deixa outra opção*. Em outras palavras, e como foi apontado por várias escritoras feministas, os conceitos históricos e culturais aprisionam as mulheres em uma "ausência de escolha ilusória" por causa de seu sexo biológico, uma vez que a sociedade usa a "linguagem da natureza" para persuadi-las a conceber e dar à luz, muitas vezes impondo uma verdadeira tirania biológica.[3]

Ao mesmo tempo, existe uma crença oposta, segundo a qual toda mãe *escolheu livremente* a maternidade, uma vez que todas as mulheres anseiam por ser mães e, portanto, escolhem esse caminho de maneira ativa, sensata e racional, de livre e espontânea vontade. "Pare de se lamentar!", "A escolha foi sua!", "Agora aguente!" é o que as mulheres costumam ouvir quando falam sobre suas dificuldades.

Ao passo que a ideia de que toda mulher se torna mãe como resultado da natureza está enraizada em termos arcaicos de um determinismo biológico, a ideia de que toda mulher se torna mãe como resultado de sua própria vontade foi em parte formulada pela modernidade, pelo capitalismo e pelas políticas neoliberais, que cada vez mais reconhecem o direito das mulheres de ser donas de seu corpo, suas decisões e seu destino. Como hoje em dia mais mulheres têm acesso mais amplo a educação e trabalho remunerado, e uma capacidade maior de decidir se querem ter relacionamentos românticos ou não, e com quem, cada vez mais mulheres são consideradas indivíduos que escrevem pessoalmente suas histórias de vida: se *a vida é o que fazemos dela*, se é um relato biográfico de realização pessoal, então as mulheres também passaram a ser encaradas como indivíduos que atuam de maneira independente e com acesso a numerosas opções, dentre as quais podem escolher livremente como consumidoras sensatas.

Como se supõe que as coisas sejam assim, presume-se que a transição para a maternidade se deve estritamente ao desejo da mulher de experimentar seu corpo, seu ser e sua vida de uma nova maneira, preferível à anterior.

A maternidade vai levá-la a uma existência valiosa e justificada, um estado que corrobora sua necessidade e vitalidade. A maternidade vai anunciar a ela mesma e ao mundo que ela é uma mulher no sentido mais amplo da palavra, uma figura moral que não apenas paga sua dívida com a natureza ao criar vida, mas que além disso a protege e a promove. Isso permitirá a ela unir-se à cadeia de gerações sucessivas de suas avós e de sua mãe, estar entre "as mulheres" que deram à luz desde o início dos tempos, encarnando assim fisicamente sua lealdade às tradições que a precedem, e que ela agora pode transmitir a gerações futuras. A maternidade, porém, não lhe proporcionará apenas um sentido de pertencimento, mas também permitirá que se sinta dona de algo, algo por meio do qual pode reivindicar um privilégio que a cultura lhe negou, uma vez que vai ter autoridade sobre os filhos em vez de se submeter à autoridade do mundo. A maternidade será um meio tangível e simbólico de conduzi-la à feminilidade madura ao deixar o "lar paterno" para construir sua própria família, reproduzindo as boas experiências e corrigindo os equívocos; permitindo-lhe visitar as regiões esquecidas de sua infância e correr livremente como em um pátio particular. A maternidade vai lhe dar a oportunidade de formar uma aliança estreita e íntima com seu parceiro por meio dos filhos em comum, ao mesmo tempo que a desafiará a se distinguir deles. Vai permitir que ela se dedique a algo, supere o sofrimento,

OS CAMINHOS PARA A MATERNIDADE

satisfaça as necessidades e demonstre uma bondade altruísta sem esperar receber nada em troca; vai acabar com a solidão e fazer com que ela deseje prazer, orgulho, satisfação e amor incondicional, uma oportunidade de evoluir. Com a formação de uma nova família, a maternidade vai permitir que ela arranque as páginas da negligência, da pobreza, do racismo, da zombaria, da solidão e da violência de sua biografia, oferecendo-lhe refúgio e a possibilidade de deixar para trás a realidade anterior, atirada no chão de um quarto trancado. A maternidade também vai gerar infinitas possibilidades imaginadas, uma vez que pode garantir um envelhecimento respeitoso, continuidade e a possibilidade de um futuro melhor, uma forma de escapar a um hipotético presente sem sentido.

Essas são as promessas sociais oferecidas às mulheres quase diariamente durante a juventude e a idade adulta.

O outro lado dessas promessas é um julgamento contundente das mulheres que não são mães: mulheres que não são capazes de conceber nem de dar à luz são com frequência consideradas defeituosas ou deficientes, uma vez que não realizam a única suposta vantagem concedida a elas pela natureza. Mulheres que desejam ser mães, mas são impedidas pelas circunstâncias (por estarem sozinhas e não desejarem ser mães solo, terem um parceiro que não deseja ser pai, terem limitações econômicas ou deficiências físicas ou mentais), também podem estar expostas a estereótipos negativos. Além disso, em muitos países pró-natalidade, como Israel,* as mulheres que não desejam engravidar, dar à luz e/ou criar filhos tendem a despertar

---

* A maternidade em Israel ocupa um lugar de honra no discurso público do período pré-estatal, e a obrigação de ser mãe está presente nos mandamentos religiosos, como "sede fecundos e multiplicai-vos", que também adquiriram validade ideológica secular, uma vez que estão presentes em decretos ideológicos militaristas, nacionalistas e sionistas. Os índices de fertilidade total na sociedade israelita são os maiores do mundo desenvolvido, e outro indicativo da centralidade da natalidade na sociedade israelense é o uso intensivo de técnicas reprodutivas. Israel é uma superpotência global no que diz respeito a essas tecnologias, já que faz mais uso delas do que qualquer outro país.

pena ou suspeita e são vistas como egoístas, hedonistas, infantis, desonrosas, transtornadas, perigosas e de sanidade duvidosa. Eis alguns exemplos de reações habituais a mulheres que não querem ser mães: "São mulheres narcisistas que só pensam em seu tempo livre. Deviam fazer terapia para encontrar a cura para sua alma defeituosa"; "A vida noturna vai acabar logo, e, em vez de ter o rosto sorridente de um filho esperando por você, você vai ter diante de si apenas a tela de um computador. Boa sorte no futuro"; "Você é mulher. Tem que ter filhos!"; "Você é tão fria e insensível"; "Mas você também foi criança, não foi?"; "Vá se consultar com um psicólogo!"[4]

Essas mensagens não apenas chegaram a um veredito contundente, mas também são acompanhadas de profecias agourentas de acordo com as quais as mulheres que renunciam à maternidade deliberadamente condenam a si mesmas a uma vida vazia e atormentada, carregada de arrependimento e tristeza, solitária e entediante devido à falta de significado e substância.

Com base nisso, é inconcebível que uma mulher supostamente saudável e sã, e que pode agora ter a liberdade de escolher sua própria trajetória, decida renunciar à maternidade. Ao contrário, considera-se que ela esteja tanto obrigada quanto disposta a abandonar sua vida como não mãe a fim de progredir e se tornar realizada.

Não obstante, da mesma maneira que as escritoras feministas desacreditaram a "ausência de escolha ilusória", também desacreditaram "a ilusão da possibilidade de escolha absoluta": de acordo com essas escritoras, embora a "livre escolha" se apresente envolta em princípios de liberdade, autonomia, democracia e responsabilidade pessoal, esse conceito se revela ilusório, pois ignora de maneira "ingênua" a desigualdade, as coações, as ideologias, o controle social e as relações de poder. Dizem-nos que devemos interpretar nossa história pessoal como produto de escolhas individuais, como se fôssemos as donas exclusivas do direito autoral sobre o roteiro de nossa vida, as proprietárias exclusivas dos direitos autorais sobre quaisquer infortúnios e tragédias. É o que nos dizem, ao mesmo tempo que são camufladas normas estritas, corpos de conhecimento moral, discriminações e poderosas forças sociais que afetam profundamente a nós, mulheres, e as decisões que tomamos.[5]

O ato de questionar a validade da "retórica da possibilidade de escolha absoluta" é extremamente importante no que diz respeito à reprodução e à transição para a maternidade: nós, mulheres, nas circunstâncias sociais atuais, realmente temos espaço para conduzir se nossa liberdade de escolha está sujeita em grande parte às prescrições que nos são dadas? Quer dizer, somos livres para escolher o que a sociedade quer que escolhamos? Parece que, ao tomarmos decisões de acordo com o desejo da sociedade e as prioridades e os papéis que ela nos atribui – como ser mães e consumidoras devotadas, sexualmente liberadas, cuidadosas, em relações amorosas heterossexuais –, ganhamos *status* social de indivíduos livres, independentes e autônomos, que têm desejos e a capacidade de torná-los realidade. No entanto, quando nossas escolhas se chocam com as expectativas da sociedade – quando nos recusamos, por exemplo, a nos comprometer com cuidados com a beleza ou a manter relações amorosas em geral, e uma relação com um homem em particular –, então enfrentamos um problema. Não apenas somos condenadas por nossas ações, mas também somos deixadas para lidar sozinhas com suas implicações, pois "a escolha foi *sua*!", e "foi uma péssima escolha", caberia acrescentar.[6]

Por conseguinte, embora mais mulheres possam decidir se tornar mães ou não em comparação com o que acontecia no passado, espera-se que a maioria, se não todas, faça "a escolha certa", que sempre é ter filhos e sempre na quantidade "correta". Esse tipo de liberdade condicional é bem explicitado em diversos testemunhos de mulheres, como o seguinte depoimento de uma famosa modelo e atriz israelense: "Estou sendo pressionada para ter... o terceiro filho! A minha família espera pelo terceiro. Todos me dizem que devo ter pelo menos três filhos para os jantares do *shabat* e por causa do conflito [judeu-palestino] em Israel."

Ou de blogueiras alemãs: "Em pleno 2015 ainda se espera que uma mulher queira ter filhos e os tenha mesmo que no último minuto, antes de o tempo se esgotar. O construto social de uma mulher e mãe está ancorado tão profundamente que muitas mulheres cedem (inconscientemente) a essa pressão mais cedo ou mais tarde e têm filhos. [...] Dizer que não quer ter filhos é um tabu. Enfrento esse tabu quase todos os dias (pois estou em uma idade em que já estou correndo contra meu relógio biológico). De todas as partes: amigos, colegas de trabalho, médicos – todos me perguntam quando, como e por que ainda não (!!!)."[17]

Segundo a economista britânica Susan Himmelweit, no entanto, o conceito de livre escolha não se aplica necessariamente a todas as mulheres e a todas as circunstâncias nas quais decisões a respeito da fertilidade são tomadas,[8] quer elas desejem ter um determinado número de filhos, quer não se interessem pela maternidade como um todo. Ou seja, na realidade atual, um número desconhecido de mulheres segue tendo filhos ou deixando de tê-los sob diversas coações sociais.

As mulheres de etnias e/ou classes sociais oprimidas com frequência não dispõem de informações suficientes sobre métodos contraceptivos ou têm acesso limitado a eles, e muitas vezes são consideradas incapazes de tomar as próprias decisões. Há mulheres que engravidam, dão à luz e criam filhos resultados de estupros; interrompem gestações ou as levam adiante devido a pressões e decisões que não são sempre nem necessariamente suas; mulheres com deficiências mentais ou físicas são dissuadidas do parto e da maternidade; e mulheres pobres e/ou não brancas são com frequência privadas do direito – mesmo que "apenas" na teoria – de planejar uma família numerosa. Além disso, mulheres em todo o mundo ainda são bombardeadas com a

OS CAMINHOS PARA A MATERNIDADE

mensagem de que seu útero deveria ser recrutado em benefício da nação. Um exemplo dentre muitos pode ser encontrado na Austrália, onde, em 2004, o então ministro da Fazenda, Peter Costello, fez um pronunciamento estimulando as mulheres australianas a terem mais filhos pelo bem do país, devido às baixas taxas de natalidade e ao aumento do custo das aposentadorias e pensões: "'Um para a mãe, um para o pai e outro para o país.' [Ele] as instruiu a 'ir para casa e cumprir seu dever patriótico esta noite'."[9] As pessoas alheias que encorajam as mulheres a terem filhos, por um lado, se valem de políticas e incentivos que fomentam a natalidade e, por outro, censuram a decisão de não ter filhos dizendo que se trata de uma escolha egoísta, como fez o papa Francisco em 2015.

A verdade é que as crianças não nascem ou deixam de nascer necessariamente devido ao "caminho natural" ou à "liberdade de escolha", e alguma vezes nascem porque as mulheres não têm ou não veem um caminho alternativo para si.[10] A filósofa feminista americana Diana Tietjens Meyers se refere a isso como um estado por meio do qual nossa imaginação é colonizada; um estado no qual a doutrinação social que contempla a maternidade como o único roteiro concebível é assimilada pela consciência das mulheres a ponto de sufocar outras opções possíveis, fazendo com que a única escolha que se pode conceber pareça saída de um "espaço puro".[11]

A colonização se materializa, entre outras coisas, quando os diferentes caminhos para a maternidade tomados por mulheres de diversos grupos sociais são escondidos de nós, uma ocultação que serve para manter tanto a "linguagem da natureza" quanto a "retórica da escolha", enquanto ambas falam em nome de um desejo garantido de ser mãe.

Como veremos a partir do estudo, nem todos os caminhos começam com o desejo de ter um filho, pelo menos não com um desejo óbvio: algumas mães disseram que ficaram grávidas sem pensar muito, deixando-se levar pela corrente; várias explicaram que tinham decidido se tornar mães por outros motivos que não ter filhos *per se*; e algumas sabiam que não queriam ter filhos antes de engravidar, às vezes desde a infância, mas ainda assim acabaram se tornando mães devido a pressões explícitas ou internalizadas.

Tornar-se mãe deixando-se levar pela corrente

Quando a gravidez e o parto representam o arquétipo da normalidade e da jornada de vida, e a maternidade é encarada como a mais importante e suprema das relações humanas, ter filhos pode ser considerado algo a tal ponto certo que, em muitos casos, as mães têm dificuldade de mencionar as razões por que quiseram ou não ter filhos. Examinar o desejo interior e o papel da norma em sua configuração simplesmente está fora de seu alcance.

Sunny (mãe de quatro filhos, dois com idades entre 5 e 10 anos e dois com idades entre 10 e 15 anos)

Eu: O que você se lembra do que pensava a respeito de ter filhos antes dos 26 anos?

Sunny: Eu não sabia nada. Simples assim. Eu não sabia nada, nunca tinha segurado um bebê nos braços.

Eu: E queria?

Sunny: Antes de me casar, eu não me interessava por crianças. Ver crianças me causava aversão [risos]. Eu era contra. Crianças nunca me interessaram. Mas, depois que me casei, tentei imaginar como me sentiria a respeito. Via os parentes de meu marido com seus filhos e tentava adotar o estado mental daquelas pessoas a minha volta. Não fazia a menor ideia do que era. Tentava observar, ver.

Eu: Então por que você teve filhos?

Sunny: Porque eu me sentia preparada, em certo momento chegou a hora de passar para a etapa seguinte. E eu queria ser como todo mundo. Além disso, achava que era a coisa certa a fazer e que seria bom para o meu casamento e para mim. Não sabia o que significava na realidade.

Nina (mãe de dois filhos, um com idade entre 40 e 45 anos e outro com idade entre 45 e 50 anos, e avó)

Eu: Você disse que, na época, crianças não lhe interessavam. Por que decidiu ter o primeiro filho?

Nina: Veja bem, tem muita opinião pública envolvida. Eu era muito insegura quando tinha aquela idade e... essa era a norma. Se você tinha uma família, um relacionamento, um parceiro, então era preciso ter filhos também. Não era algo planejado, algo do tipo: "Foi o que decidi." Acontecia. E tudo bem acontecer, mas não era resultado de termos decidido se era a hora certa, ou se devíamos esperar, ou fazer aquilo cedo. Não se falava sobre esse assunto. As coisas aconteciam. Simplesmente aconteciam. Sem um envolvimento deliberado. [...] Não sei se teria tido coragem... se teria tido coragem de decidir que ia ser diferente de todo mundo e não querer filhos de forma consciente.

Tirtza (mãe de dois filhos com idades entre 30 e 40 anos e avó)

Todos à minha volta estavam tendo filhos. Eu estava rodeada de mulheres jovens amamentando e empurrando carrinhos de bebê, às voltas com bebês, fraldas [...] e todas essas coisas. Era isso que me cercava. Era essa a norma, não apenas sagrada, mas hipersagrada. Não se falava sobre isso, não era possível nem ao menos mencionar o assunto. Entre os heterossexuais, não havia uma mulher em todo o *kibutz* que não fosse mãe. Casadas, divorciadas, viúvas – nem uma sequer sem filhos. Não havia uma criatura assim. Era a norma, e ninguém pensava a respeito. Não havia sequer a possibilidade de pensar sobre o assunto. Não estava no meu consciente. Não mesmo.

Para mães que vivenciaram sua transição para a maternidade como algo "automático", a maternidade lhes aconteceu sem que tivessem oportunidade de pesar as consequências antes e sem que levassem em consideração o que significava ter ou não ter filhos. Algumas das entrevistadas fizeram outros comentários nesse sentido, como: "Não parei para pensar nem por um segundo"; "As coisas simplesmente aconteceram, sem planejamento"; "Acho que é algo que nos leva a agir, sem nem mesmo nos darmos conta"; "Não fiz nenhuma reflexão."

> **Sky (mãe de três filhos, dois com idades entre 15 e 20 anos e um com idade entre 20 e 25 anos)**
>
> Eu não pensei no assunto nem dei importância, nem ao menos tentei entender o que significa trazer um filho ao mundo... Se eu era capaz de lidar com isso; [se] estava preparada; [se] combinava comigo, que tipo de mãe eu poderia ser. Não pensei em nada disso. O que mais me impressiona hoje é como eu não pensei a respeito.

Uma transição assim para a maternidade, sem que se leve em conta se é algo desejado e as consequências que isso terá para a mulher, dificilmente pode ser descrita como uma "escolha pura e livre", se aceitamos que as reflexões sobre os custos, os benefícios e as consequências de algo estão necessariamente vinculadas ao conceito de escolha[12] e se aceitamos que uma escolha demanda mais do que uma opção que não seja seguida de sanções e castigos. Portanto, é mais provável que seja considerada uma "decisão passiva", quando as pessoas "simplesmente 'se deixam levar pela corrente', e não consideram com seriedade as consequências potenciais de seus atos, como se essas consequências já fossem conhecidas".[13]

Essa tomada de decisão passiva ou transição "automática" da não maternidade para a maternidade sem fazer nenhuma reflexão e sem nenhum discernimento pessoal com frequência ocorre quando as normas são vivenciadas como algo dado, que não demanda consideração ou reserva; quando estão em nenhuma parte e em toda parte ao mesmo tempo, de um modo tão invisível e encoberto que é quase impossível notá-las.[14] Nas palavras de Nina: "As coisas aconteciam. Simplesmente aconteciam. Sem um envolvimento deliberado."

No contexto da maternidade, uma das normas determina que há um curso natural que as mulheres devem seguir.

Charlotte (mãe de dois filhos, um com idade entre 10 e 15 anos e outro com idade entre 15 e 20 anos)

Tive meu filho com 24 anos, e foi horrível, e foi assim que aconteceu. Em uma sociedade religiosa, as pessoas se casam e têm filhos... é uma espécie de caminho que todo mundo toma, mas eu nunca tinha pensado nisso. [Longa pausa.] Foi apenas por pressão social. Porque todo mundo faz. Todo mundo tem filhos no mundo religioso. Então eu fiz o mesmo, sem pensar.

Rose (mãe de dois filhos, um com idade entre 5 e 10 anos e outro com idade entre 10 e 15 anos)

Eu: O que você pensava a respeito da maternidade antes de ser mãe?

Rose: Não pensava nada. [...] Quando me casei [aos 21 anos], não havia "reflexões prévias". Nós "já" estávamos casados havia dois anos e meio e, sem pensar muito nisso, decidimos que estava na hora de sermos pais.

Eu: Então, por que você se tornou mãe?

Rose: Fiz tudo no automático, sem saber que havia espaço para reflexão e deliberação. Como eu disse, já estávamos casados havia dois anos e meio, e eu sentia que "precisava". Meu marido não falava sobre o assunto comigo nem me pressionava. A decisão foi minha. Eu era uma criança, ingênua e imatura.

Esses testemunhos indicam que não é necessariamente a maternidade que é encarada como algo natural, mas sim o "avançar no curso da vida".

A ideia da trajetória de vida "normal" ou "natural" se alimenta em parte do conceito cultural de determinismo biológico que conduz, naturalmente, à maternidade. Não obstante, também se baseia em grande medida na lógica cultural heteronormativa que com frequência condiciona nossas escolhas e ações. Essa lógica determina que há apenas um plano de vida que proporciona progresso fundamental, quer dizer, uma rota tangível e natural em um mapa, com marcos pelos quais toda pessoa deve passar no decorrer do tempo: da escola para o trabalho, a vida de casal ou o matrimônio, e para a vida com filhos.

Essa narrativa canônica de uma progressão natural e normal[15] detalha especificamente qual é o curso de vida "correto" e as ações necessárias para enfrentar cada fase no tempo "certo", no ritmo "adequado" no curso da rota linear "apropriada".

Aderir ao movimento progressivo certo no ritmo adequado com frequência se soma a normas afetivas que determinam quais sãos as "emoções apropriadas" que devem surgir a cada marco do caminho. Dessa maneira, considera-se natural que um movimento progressivo desperte sem dúvida o desejo de ser mãe, mesmo que esse desejo não estivesse presente antes da maternidade propriamente dita. A ideia é que o desejo vai surgir, pois é o momento certo no curso da vida – como depois do casamento ou de muitos anos de vida em casal –, ou por causa da idade da mulher e de seu "relógio biológico", ao qual muitas vezes as pessoas se referem como "uma bomba-relógio", como descreve a escritora e jornalista alemã Sarah Diehl: "O medo da finitude da própria capacidade de ter filhos era algo que unia todas essas mulheres, porque uma mulher quer ser mãe. Ponto. Hoje estou com cerca de 35 anos e ainda não ouço meu relógio biológico. [...] Nem meu corpo nem minha mente me dizem que supostamente chegou o momento, mas a sociedade, sim. A sociedade faz isso a todo momento, elevando cada vez mais a voz."[16]

OS CAMINHOS PARA A MATERNIDADE

Essas determinações do tempo e das emoções se fundem e se entrelaçam em torno de questões a respeito de *quando* uma mulher deveria pretender ser mãe e de quantos filhos deveria ter, e não em torno de questões sobre *se* a mulher deseja ser mãe e por quê. Nesse estado de coisas, no qual a questão do "se" tende a não ser levada em consideração, as mulheres com frequência descrevem em retrospecto que a transição para a maternidade foi acompanhada por um sentimento de distanciamento, de ausência do próprio ser. As posturas subjetivas foram "mantidas de fora" de si mesmas em nome do que Diana Tietjens Meyers identifica como a lei da indiferença e da despreocupação, portanto, com um resultado inevitável e presumido.[17] Consequentemente, "deixar-se levar pela corrente" na ausência de comunicação e reflexão sobre a maternidade e a criação dos filhos tende a ser visto não apenas como algo normativo, mas também ideal – como se não houvesse nada a ser discutido.[18]

No entanto, as mães que participaram deste estudo afirmam que *há* o que se discutir, e que isso as atormenta.

Desejos e motivos ocultos para ter filhos

Como mencionado, em muitas sociedades que estimulam a natalidade, a maternidade é estruturada como uma promessa – a promessa de que ser mãe certamente vai implicar uma vida melhor para as mulheres do que a que tinham antes de ter filhos. As mulheres e adolescentes poderiam dar à luz para renascer em um novo mundo. Em outras palavras, poderiam dar à luz para se salvar de circunstâncias adversas, como pobreza, maus-tratos, racismo, homofobia, estupro, prostituição, mendicância, cárcere, violência ou dependência de álcool e drogas.[19] As adolescentes poderiam se casar e se tornar jovens mães a fim de obter uma sensação de liberdade que não encontravam na casa dos pais, e mulheres com deficiência mental poderiam se tornar mães a fim de se libertar do estigma constrangedor de sua vida até então. Para muitas mulheres, a transição para a maternidade é como atravessar uma ponte. Do outro lado as aguarda a aceitação em sua comunidade, da qual se sentiam excluídas ou à qual não pertenciam antes de engravidar e dar à luz, como descreveu uma mãe: "[...] antes de dar à luz, eu me sentia deslocada por não ter filhos. Costumava voltar do trabalho à tarde e, em vez de ir para o parque, onde minhas amigas estavam, ficava em casa. Agora, comecei a ir ao parque bem cedo porque preciso disso, da companhia. [...] Agora, há algo para ver, algo para mostrar."[20] Ou, nas palavras de Debra:

Debra (mãe de dois filhos com idades entre 10 e 15 anos)

Eu acho [...] que a maternidade, ou a paternidade, tem muitas vantagens. Ser uma pessoa marginalizada, não importa em qual domínio, é difícil. Quer seja por escolha, quer não. Quando você tem filhos, mesmo que em outros aspectos seja um inconformista e não siga a tendência dominante, isso faz com que você se integre de alguma forma, e torna a vida mais fácil. [...] Perguntas como "Quando você vai ter filhos?" estão sempre pairando sobre nós na sociedade, então essa passa a ser uma frente de batalha na qual você não precisa mais lutar [quando se é mãe], pois já cumpriu o seu dever. Não importa que não o tenha cumprido em outras áreas, nessa você foi bem-sucedido.

Para outras mulheres, a transição para a maternidade pode surgir do desejo de aplacar um sentimento de solidão ou tédio no presente ou de evitá-lo no futuro, dando um significado maior a sua existência. Nas palavras da escritora francesa Corinne Maier: "Tive meus filhos por um único e triste motivo: tinha medo de ficar sozinha."[21]

Apesar de essas razões serem profundamente compreensíveis em geral, e em uma sociedade que *a priori* limita as opções imaginadas e concretas das mulheres em particular, ao mesmo tempo todas elas

OS CAMINHOS PARA A MATERNIDADE

indicam que a transição para a maternidade não é necessariamente o resultado de um desejo que se sustenta por si mesmo – cuidar de filhos –, mas, na verdade, pode derivar do desejo da mulher de melhorar sua situação por meio da maternidade, uma vez que ter filhos é considerada a única maneira possível de satisfazer esse desejo.

Sophia, por exemplo, encarava a maternidade como uma maneira de escapar da violência e dos maus-tratos vividos em sua família de origem e como uma oportunidade de transformação pessoal para tornar-se uma mulher adulta capaz de escrever uma história familiar distinta.

Sophia (mãe de dois filhos com idades entre 1 e 5 anos)

Eu: Antes dos tratamentos de fertilidade, você se lembra de si mesma como alguém que queria filhos?

Sophia: Muito. Eu tive uma infância difícil. Vim de um lar onde havia violência física e abandono. Passei por tratamento psicológico. Quando era criança, achava que não teria filhos, porque tinha passado por tanto sofrimento, mas, aos poucos, na escola e depois, durante o treinamento militar, fui trabalhando com crianças. Na verdade, durante todo esse tempo, eu queria de certo modo consertar a minha infância. [...] Esse domínio me atraía, e ficou claro que eu seria mãe, e que seria uma ótima mãe. Era algo que eu desejava intensamente, uma vez que escolhi minha vida na escola, e isso significava, para mim, ter meus próprios filhos. Não havia nenhuma dúvida quanto a isso. Nunca houve dúvida. [...]

Eu: Naquele momento em que você queria ter filhos, o que eles simbolizavam?

Sophia: Na época, significavam tudo. Algo que me daria sentido, que seria uma forma de terapia, uma correção, que me permitiria dar a eles tudo que eu não tive, para que tivessem a infância que eu nunca vivi. Uma grande besteira.

Diferentemente de Sophia, Jasmine não estava procurando uma forma de corrigir seu passado. Na verdade, ela buscava uma maneira de consertar seu presente, e a maternidade parecia ser a resposta a suas preces. As palavras de Jasmine evidenciavam a existência dessas normas sociais, que determinam que a transição progressiva de um marco para o próximo deve acontecer no momento adequado, determinado pela idade da mulher. Isso se entrelaçava a sua própria esperança pessoal de que ter um filho lhe traria paz e tranquilidade.

Jasmine (mãe de um filho com idade entre 1 e 5 anos)

Eu: Você sabia que queria ter filhos?

Jasmine: Sim, muito.

Eu: Desde quando se lembra de ter essa certeza?

Jasmine: Desde... Nem sei ao certo se é possível pensar nisso hoje e ter certeza de que era algo que queria. É algo que você sabe que é ditado pela sociedade. Mesmo para meninas ainda na escola. "Quando acha que vai se casar?" – é aí que começa. "Com 26 anos, com certeza já serei mãe." É quando começa. Acho que é algo que nos move, mesmo sem notarmos. [...] Naquela época, eu pensava e estava convencida de que isso ia me tornar perfeita, me acalmaria, me completaria. Como se eu tivesse cumprido meu destino. Tenho um filho! Afinal de contas, todas nós vamos para a escola, prestamos serviço militar, fazemos faculdade, arrumamos um emprego, trabalhamos, ganhamos dinheiro... tudo para podermos ter filhos. É um conceito social, eu sei. E não necessariamente um que eu experimentasse em casa, já que, por questões financeiras, venho de uma família com apenas dois filhos. [...] Você sabe, eu pensava: "tudo bem, vou ter um filho e isso vai me dar paz de espírito", e não apenas isso não aconteceu como na verdade as coisas se tornaram muito mais caóticas.

OS CAMINHOS PARA A MATERNIDADE

Muitas mulheres compartilham desses desejos diversos, tentando encontrar na maternidade algo que lhes falta, ao mesmo tempo que ignoram a possibilidade de que a maternidade pode tornar as coisas ainda piores.

Esses desejos se devem em parte à necessidade de se adequar à norma da fertilidade, mas também podem refletir o que chamo de *vontade institucionalizada* – uma vontade que é resultado de uma mistura dos próprios desejos da mulher e das expectativas da sociedade. Essa vontade institucionalizada, portanto, pode ser um sentimento concreto – tanto física quanto mentalmente – de querer verdadeiramente ser mãe, mas que não raro é despertado pela internalização por parte das mulheres das mesmas imagens que a sociedade designa exclusivamente à maternidade. Essas imagens fecham portas que poderiam estar abertas para as mulheres, ao mesmo tempo que obstruem quaisquer outros caminhos que discutam, questionem ou desafiem a ideia de que a maternidade é a única forma de mudar o estado das coisas, tanto no passado quanto no presente.

Tornar-se mãe com consentimento mas sem vontade

Em um entorno social pró-natalidade, pode ser difícil para uma mulher perceber e admitir, antes de tudo, para si mesma, que ela não quer ser mãe. Uma das principais razões para essa dificuldade é a exigência de rejeitar aquelas partes de nós mesmas que não se adequam aos sistemas e normas sociais comuns. Não obstante, mesmo quando se dão conta de que não querem ser mães, as mulheres podem ser confrontadas com diversas dificuldades de verbalizar isso de forma explícita, uma vez que a possibilidade de não ter filhos não se estende de maneira uniforme pelas sociedades e grupos sociais distintos. Ainda que a recusa em ser mãe não caracterize necessariamente um determinado grupo social (por exemplo, mulheres brancas de classe média, cultas e laicas), pode ser que essas sejam as mulheres que têm condições sociais de expressar sua atitude, enquanto aquelas que vivem em circunstâncias nas quais se entrelaçam várias formas de marginalização e opressão podem ter pouco espaço para fazê-lo sem serem severamente punidas mais uma vez. Em outras palavras, apesar de mulheres de todos os grupos sociais poderem sentir que não querem ser mães, a capacidade de *expressar* isso e de *viver de acordo* com esse desejo pode estar a favor das mulheres dos grupos dominantes. Ainda assim, mesmo quando são capazes de expressar sua vontade de não ser "mãe de ninguém", e de fato o fazem, não é raro que a maioria se sinta forçada a ceder em seus desejos iniciais.

Liz (mãe de um filho com idade entre 1 e 5 anos)

Para mim, estava claro, desde muito cedo, que eu nunca teria filhos. Estava muito claro para mim. [...] Minha decisão de ser mãe foi totalmente racional. Meu útero nunca clamou pela maternidade [risos]. Eu me sentia completa sem dar à luz; não me parecia que meu papel fosse colocar filhos no mundo. Foi uma decisão racional porque pensei que, embora fosse feliz e tudo estivesse dando certo para mim, talvez houvesse outra parte da vida que eu devesse experimentar. Então me lancei em uma espécie de aventura. [...] As pessoas dizem: "Quando é o seu filho é diferente", mas isso não é verdade. Não para mim. Preciso dizer que já tinha sentido isso antes. Vamos colocar as coisas da seguinte forma: Eu sempre soube por que não queria ter filhos, e isso não mudou.

Odelya (mãe de um filho com idade entre 1 e 5 anos)

Nunca quis ter filhos. [...] Lembro de mim mesma, desde que era muito nova... – talvez aos 6 ou 7 anos, não tenho certeza –, enquanto as outras pessoas passavam o tempo com os filhos [...], para mim, isso era um pesadelo, um horror. Eu não gosto, não combina comigo. Desde a infância eu tinha medo do que ia acontecer quando tivesse filhos. A opção de não ter filhos nunca passou pela minha cabeça.

OS CAMINHOS PARA A MATERNIDADE

Liz e Odelya explicaram, cada uma à sua maneira, que sentiam o desejo de não ser mães desde muito novas. O fato de que hoje em dia as duas são mães indica que algo as desviou de seu desejo inicial no sentido da não maternidade; do que acreditavam que era a ideia preestabelecida. Suas palavras apontam o que pode acontecer quando um desejo subjetivo de não ser mãe colide com os ditames sociais que não ser "mãe de ninguém" é uma perda catastrófica que perseguirá a mulher pelo resto da vida ou um caminho fora do repertório de opções legítimas que uma mulher pode contemplar. É uma colisão com a sociedade que considera o desejo precoce pela não maternidade "a aberração" propriamente dita, e algo que vai se consolidar (quer dizer, mudar ou se alinhar) com o tempo. Como consequência dessa colisão, o desejo de não ser mãe pode começar a ser erodido e apagado conforme tenta sobreviver, persistindo diante das expectativas sociais. A postura emocional do arrependimento, no entanto, pode dar a entender que esse desejo inicial de não ser mãe não é necessariamente apagado. Nesse sentido, como veremos, o arrependimento marca a continuação da compreensão das mulheres sobre si mesmas.

Enquanto algumas mulheres se afastam de seu desejo inicial supostamente sem nenhuma intervenção do ambiente a sua volta, outras acabam sendo mães mesmo contra a sua vontade, devido à intervenção direta de seu cônjuge. Duas pessoas que compartilham a vida em um relacionamento amoroso podem certamente ter discordâncias a respeito de seu futuro juntos e do sonho de ter filhos. Algumas vezes essas diferenças de opinião podem levar à decisão mútua de se separar. Mas às vezes se procria a fim de garantir a continuidade do relacionamento, e o lar se torna uma arena de imposições, chantagem, ameaça e coerção, na qual as crianças ainda não nascidas são usadas como instrumentos de demonstração de poder. Apesar da crescente tendência oficial de fingir que as relações entre homens e mulheres são iguais e simétricas, esse suposto equilíbrio não necessariamente se reflete na realidade. Isso significa que com frequência se formam diferentes estruturas de poder entre um casal – manifestas, latentes ou invisíveis – que atestam a desigualdade de gênero em torno das deliberações importantes.[22]

Tanto Doreen quanto Edith estavam submetidas a uma força manifesta, evidenciada nos conflitos e nas tentativas de alterar seu desejo de renunciar à maternidade. Debra, por outro lado, se via submetida a uma força latente, que não se expressava no conflito, mas na precedência das necessidades e desejos de seu parceiro quando ela capitulou em uma negociação que nunca começou de verdade, a fim de não colocar o relacionamento em risco.

Doreen (mãe de três filhos com idades entre 5 e 10 anos)

Desde o dia em que nos casamos, ele simplesmente não parava... de colocar uma terrível pressão sobre mim, a ponto de dizer: "Tudo bem, se não vamos tentar engravidar, então vamos nos divorciar." [...] E eu disse: "Tudo bem, não quero me divorciar, então vamos ter filhos." Mas desde o princípio eu senti que era... um erro. Nunca tive esse ideal mítico de ser mãe e de que isso fosse feminilidade. Não, definitivamente não.

Edith (mãe de quatro filhos, dois com idade entre 25 e 30 anos e dois com idade entre 30 e 35 anos, e avó)

Eu estraguei tudo e tive filhos... Porque, quando nos casamos, eu tinha acabado de entrar para a faculdade de Medicina, e meu marido me disse: "Se você vai estudar Medicina, então é melhor nos divorciarmos. Eu quero filhos." E eu, feito uma idiota, pensei: "Como assim nos divorciarmos? E aí? Então não vou estudar Medicina, que importância isso tem?" [...] Eu me sentia presa ao casamento, sob o comando dele, como se a minha opinião não importasse. [...] Minha função era agradar meu amo, e quem sabe assim o casamento melhorasse, [quem sabe assim] ele fosse mais carinhoso. Depois de cada nascimento, ele era a pessoa mais feliz deste mundo, esses eram momentos de graça.

OS CAMINHOS PARA A MATERNIDADE

Debra (mãe de dois filhos com idades entre 10 e 15 anos)

Não foi porque era o que eu queria, mas foi o preço que tive que pagar pelo meu relacionamento. [...] Na verdade, desde que me entendo por gente, o tema da maternidade e da família nunca me interessou. Eu encarava essas coisas como alheias a mim, algo que não fazia parte do meu mundo nem das minhas aspirações. Algo muito distante do meu mundo.

Sejam elas manifestas, latentes ou invisíveis,[23] as pressões do cônjuge preservam o *status quo* tradicional de gênero, de acordo com o qual os homens são os principais beneficiados, já que o desejo inicial das mulheres de renunciar à maternidade pode permanecer invisível ou silenciado conforme se dá prioridade aos incentivos de outros membros da família. Seus desejos são calados ou não ouvidos enquanto seus parceiros se tornam "mensageiros familiares" que mediam e transmitem a "mensagem canônica do nascimento". Nossa discussão se concentra, portanto, na aplicação direta do poder no lar, por meio da qual até mesmo os filhos ainda não nascidos por vezes são usados como instrumento de poder e negociação, o que leva a decisões cujo objetivo é manter o relacionamento e garantir sua continuidade.

Além disso, Doreen, que, como mencionado, a princípio não queria filhos, mas no fim cedeu à pressão do parceiro, descreveu a falta de reconhecimento de seus desejos e a força à qual se via submetida em termos de estupro:

Doreen (mãe de três filhos com idades entre 5 e 10 anos)

Eu não achava que aquilo era o que eu devia fazer. Quer dizer, eu também não queria o segundo. Quando descobri que ia ter gêmeos, fiquei desnorteada. Foi uma sensação horrível, de estupro. Estupro puro e simples. Estupro. E eu deixei esse estupro acontecer.

Tal experiência de ser mãe sob coação por meio de tentativas infindáveis de persuasão e contínuas intimidações e ameaças no próprio lar pode ser uma realidade comum a muitas mulheres que permanece ignorada.

Tal falta de reconhecimento é o resultado das mensagens sociais que insistem em nos dizer que as mulheres que não conceberam por meio do que se costuma denominar de "verdadeiro" estupro, da forma como ele é conceitualizado publicamente, ou seja, por meio do sexo forçado, tomaram voluntariamente a decisão de engravidar, atendendo a seus próprios desejos e vontades. No entanto, um número desconhecido de mulheres pode dar à luz filhos concebidos biológica e socialmente com o consentimento delas, porém contra sua vontade. Elas podem concordar contra sua vontade ao ver-se, em um dado momento, forçadas a tomar uma decisão pragmática entre uma opção que de seu ponto de vista é ruim – conceber filhos e ser mães – e uma ainda pior, como se divorciar ou ficar sem lar, ser denunciadas pela família ou pela comunidade, ou ser sujeitadas à dependência econômica.

Não sou a primeira a apontar a distinção entre "consentimento" e "vontade"; outros pesquisadores no campo da sexualidade já afirmaram que esses termos ou conceitos expressam relações de poder nos relacionamentos sexuais, uma vez que *concordar* com o sexo não é a mesma coisa que *querer* sexo.[24] Tendo como base a interseção criada por Doreen – entre trauma sexual e o que pode ser chamado de violência reprodutiva –, sugiro que se examine com muito cuidado a distinção entre "consentimento" e "vontade", a fim de permitir uma compreensão mais precisa da realidade de vida das mulheres quando consentem em fazer algo que pode ser obtido por meio da maternidade, apesar de não desejarem ser mães *per se*.

Em suma, os numerosos caminhos distintos que levam as mulheres a ser mães nos mostram que nem sempre está claro para elas se a maternidade é algo que buscaram, algo que simplesmente aconteceu ou algo que lhes foi imposto. Sua capacidade de se ver como as responsáveis por escrever sua história de vida, como se promete em uma sociedade capitalista e neoliberal, é por vezes vaga, e confunde a simples distinção entre escolha e não escolha ao ignorar experiências mais subjetivas e turbulentas, com frequência permeadas por incerteza, hesitação, confusão, contradições, mistura de sentimentos, sorte e acaso.[25] Portanto, referir-se à transição para a maternidade como uma consequência exclusiva do desejo das mulheres de ser mães pode gerar e manter falsas impressões que, em um círculo vicioso, são usadas repetidas vezes para persuadir as mulheres a terem filhos.

2. As exigências da maternidade: Aparência, comportamento e sentimentos que as mães deveriam ter

> "Sem dúvida, sou uma mãe *realmente* incrível, *realmente* sou uma boa mãe. Fico constrangida de dizer isso. Quer dizer, meus filhos são importantes para mim, eu os amo, leio livros, procuro ajuda profissional, tento fazer tudo que posso para dar a eles uma educação melhor, além de muito amor e afeto. [...] Mas ainda assim *odeio* ser mãe. Odeio. Odeio esse papel, odeio ser a pessoa que tem que estabelecer limites, a pessoa que tem que castigar. Odeio a falta de liberdade, a falta de espontaneidade. As restrições que me impõe, o fato de ser assim..."
>
> *Sophia (mãe de dois filhos com idades entre 1 e 5 anos)*

Um fato aparentemente simples está na base da história da maternidade: todo ser humano que existe sobre a face da terra nasceu de uma mulher.

Todo ser humano de fato nasce de uma mulher, mas nenhuma mulher nasce mãe: que as mulheres carregam os descendentes humanos pode ser um fato, mas isso não obriga as mulheres a se comprometerem com os cuidados, a proteção, a educação e a responsabilidade que essa relação exige. Também não é algo óbvio que, quando as mães biológicas não conseguem atuar como mães, sejam outras mulheres que costumem substituí-las em vez de um homem.

Esse não é o estado obrigatório das coisas, mas mesmo assim ainda se insiste em manter obstinadamente uma divisão de tarefas de acordo com o gênero que tende a ser considerado natural e que estabelece uma correlação entre a biologia feminina, que permite que a mulher dê à luz, e a maternidade. Em outras palavras, essa descrição da "natureza feminina", usada para justificar a obrigação das mulheres de ser mães, também é usada para reforçar a ideia de que elas são dotadas de um instinto maternal congênito e de uma espécie de caixa de ferramentas inata que induz as mulheres, mais que os homens, a criar os filhos que elas deram à luz ou adotaram, e a cuidar deles: "É algo que você não precisa aprender porque é parte de você, está gravado em você, cuidar de um filho, se preocupar com ele, sentir-se unida a ele. Se não sente isso agora, diziam, esse sentimento virá com a gravidez e o nascimento e, junto com ele, o sentimento de responsabilidade, que é natural, e o amor, e então suas prioridades vão subitamente mudar. Mesmo que sua vida seja completamente diferente, você não vai se importar."[1]

Essa divisão do trabalho baseada estritamente no gênero se materializou durante o século XIX, com a transformação dos conceitos de lar e família promovida pela Revolução Industrial: enquanto a "esfera pública" se tornou um símbolo de racionalidade, progresso, utilidade e competitividade, o "pequeno enclave familiar" na "esfera privada" se tornou um símbolo das características opostas, associado aos sentimentos em geral, e aos mais ternos em particular, como o amor, o altruísmo, a compaixão e o cuidado. Enquanto aos homens coube o trabalho remunerado fora de casa, as mulheres de classe média ficaram encarregadas do "reino privado" e do trabalho não remunerado como esposas e mães devotadas, responsáveis por manter um porto seguro para seus entes queridos.[2]

AS EXIGÊNCIAS DA MATERNIDADE

Desse modo, desde o século XIX até os dias atuais, as ideologias capitalistas, patriarcais, heteronormativas, medicalizadas e nacionalistas atuam juntas no sentido de preservar essa divisão do trabalho de acordo com o gênero, uma vez que a mulher-mãe é uma instituição sem a qual o sistema se desintegraria.[3] Isso reforça, ao mesmo tempo e repetidas vezes, que essa divisão é natural por definição e, portanto, eterna. A fim de garantir que nada mude, garante-se não apenas que essa divisão torna o mundo um lugar melhor, mas também que beneficia as próprias mulheres e seus filhos.[4]

Uma coisa é atar as mulheres à maternidade, outra, muito diferente, é atar *todas elas* à mesma determinação extremamente rígida sobre *como* deveriam exercer essa maternidade, mesmo que as mães não criem nem protejam seus filhos de maneiras ou em circunstâncias sempre idênticas, nem tenham que necessariamente se encarregar desse cuidado.[5]

"Boa mãe", "mãe ruim": Sempre perseguindo as mães

A maternidade não é um projeto privado. É sempre, infinita e exaustivamente, pública.[6] Todos os dias, as mulheres ouvem que possuem essas habilidades instintivamente, por natureza, mas ao mesmo tempo estão submetidas aos ditames sociais sobre *como* deveriam conduzir a relação com seus filhos de forma a serem consideradas "boas mulheres" e "boas mães", pessoas e seres morais.

Por conseguinte, o modelo acessível arraigado no imaginário público das sociedades ocidentais atuais coloca o cuidado com os filhos como algo que cabe praticamente apenas à mãe. Esse modelo dominante determina que a maternidade deveria centrar-se inteiramente nos filhos, ser emocional e cognitivamente envolvente e um cuidado constante. A mãe, por sua vez, é retratada como um ser abnegado por natureza, com uma necessidade de constante aprimoramento e infinitamente paciente e devotada ao cuidado com o outro, de uma maneira que quase exige que ela esqueça que tem uma personalidade e necessidades próprias:[7] "Enquanto as crianças caminham com mais ou menos dificuldade na direção de um senso cada vez maior de si mesmas como indivíduos separados de suas mães, as mulheres passam de uma identidade materna para a outra. Passam de ser uma mãe que sustenta a cabeça a uma mãe que empurra um carrinho, que acena com uma das mãos e por fim que espera por uma mãozinha para segurar. Mas nunca deixa de ser mãe. Seu desenvolvimento é vertical se comparado ao crescimento mais 'horizontal' de seus filhos à medida que se afastam delas."[8]

Isso não significa que, na prática, todas as mães sejam assim, pois pode haver diferenças significativas entre elas – em aspectos que vão do âmbito individual ao âmbito social, como estado civil, origem étnica, classe, deficiências físicas e mentais. Ainda assim, diversas sociedades ocidentais se valem desse exigente modelo de maternidade apesar dessas diferenças,[9] e a condição da maternidade como algo elevado permanece icônica.

Além disso, se no passado se exigia que uma "boa mãe" encarnasse a Virgem, quer dizer, uma persona assexuada, pura e sagrada, desde a década de 1980 o modelo mitológico intensificou a representação das mães (especialmente mães de classe média, brancas e jovens) como seres sexuais e objetos eróticos, como indicam as expressões "MILF" (sigla em inglês para *Mom-I'd-Like-to-Fuck*", mãe com quem eu gostaria de transar), "*yummy mommies*" (mamães boazudas), "*hot mamas*" (mamães sensuais), "*momshells*" (mamães sexies) e outros. Essas novas representações da figura materna não significam que a sociedade encare seu corpo como algo totalmente atraente, mas sim que elas se tornam cada vez mais desejáveis como objetos de fantasias sexuais, ao mesmo tempo que fomentam outras fantasias míticas de que as mães "têm tudo":[10] "Hoje é quase uma certeza que uma mulher não deveria 'apenas' ser mãe. Se você quiser ser reconhecida, também

AS EXIGÊNCIAS DA MATERNIDADE

precisa ter uma profissão, participar ativamente na pré-escola e na escola durante o pouco tempo livre de que dispõe e ser, apesar de toda a exaustão, sexy, é claro. Com *'I'm a bitch, I'm a lover, I'm a child, I'm a mother, I'm a sinner, I'm a saint'* ['Sou uma vadia, uma amante, uma criança, uma mãe, uma pecadora, uma santa'], Meredith Brooks expressa em poucas palavras o incompatível."[11]

Dessa maneira, o exigente modelo atual espera do corpo das mulheres – enquanto ainda grávidas, imediatamente após o parto e anos depois do nascimento dos filhos – que atenda aos mesmos padrões heteronormativos que o mito da beleza e da sexualidade impõe às mulheres em geral. Seu corpo não está livre, nem por um momento sequer, da busca pela beleza e pela conservação, nem da obrigação de exibir um tipo de disponibilidade sexual que talvez esteja muito distante de suas próprias experiências como sujeitos sexuais.[12] Isso significa que, embora as mães possam muito bem ter necessidades e desejos sexuais, na maior parte das vezes elas só são tratadas como tal se satisfizerem aos outros. Não a elas mesmas *per se*.

Esse modelo não apenas regula a aparência e o comportamento que as mães deveriam ter, mas também busca regular seu mundo emocional de acordo com normas afetivas – ou seja, "normas sobre que sentimentos são ou não adequados a um determinado entorno social", que com frequência oferecem recompensas sociais como honra, respeito e aceitação[13] –, o que as classificará como "boas mulheres" e "boas mães", tanto como pessoas quanto como seres emocionais.

Portanto, embora não haja um sentimento único que os filhos inspirem nas mães, e embora os sentimentos de uma mãe possam variar ao longo de um dia e certamente com o passar de períodos mais longos, dependendo do comportamento dos filhos, do tempo, do espaço e da ajuda disponível,[14] a expectativa é que todas as mães se sintam sistematicamente da mesma forma se quiserem ser encaradas como "boas mães". Exige-se que a "boa mãe" ame cada um de seus filhos sem reservas nem condições (a não ser que eles tenham "se desviado do caminho da moralidade"), que exiba a graça da Virgem – se não imediatamente após o parto, certamente com o passar dos anos –, e que, se seu caminho não for um mar de rosas, assuma o desafio de apreciar o sofrimento que sua situação acarreta como um tormento inevitável e necessário no transcurso da vida de uma mãe.

Essa regulação de suas emoções pode ser encontrada, por exemplo, na seguinte resposta, escrita por um homem a uma mulher que confessava se arrepender de ser mãe:

Pare de reclamar. Você tem que parar de choramingar feito um bebê. Seja grata e aproveite a maternidade. É tão difícil assim para você? Contrate uma babá ou peça ajuda a uma das avós. Você não faz ideia de como isso pode ajudar. Aproveite sua vida e não deixe que o principezinho a controle, caso contrário não vai parar de se queixar e vai arruinar a vida dele também. Ele vai se tornar uma criança mimada como você. Além do mais, espere e vai ver que alegria. E quando esquecer como foi duro (como acontece com todas as mães), vai ter o segundo filho.[15]

Ou em outra resposta a mães arrependidas:

Bem, pelo menos se dispuseram a ser mães, e só por isso já são dignas de admiração. Há momentos de exaustão e abatimento, é claro – não é um mar de rosas. Mas isso passa. Com o tempo vão olhar para trás e ficarão orgulhosas. O que nossa geração não sabe é como se forçar a atravessar um obstáculo, superá-lo e obter algo em troca, algo que os outros não podem ter, algo que perdura, que traz satisfação e felicidade.[16]

Nesse sentido, a regulação dos sentimentos maternos está amarrada a conceitos culturais sobre os mecanismos que regem a memória e o tempo, uma vez que se determina não apenas como as mães devem se sentir, mas também o que deveriam lembrar e o que deveriam esquecer: ambos os comentários asseguram que a passagem do tempo vai sem dúvida trazer alegria para as mães no futuro se simplesmente esquecerem o presente. Na realidade, parece que a sociedade mantém as tradições de reprodução, garantindo que as mães em geral e as "boas mães" em particular apaguem os momentos dolorosos de sua vida presente e de sua memória a fim de "continuar com o trabalho duro", ou seja, dar à luz e criar mais filhos da "maneira correta", em nome de uma espécie de "paz industrial", uma paz para aqueles que precisam que o sofrimento das mães permaneça silenciado, sem que haja alarde, a fim de conservar a ilusão de que tudo está ótimo do jeito que está.

Não obstante, as regulações emocionais não apenas são impostas de fora para dentro, por aquelas pessoas que, "sentadas na plateia", lançam conselhos em tom de reprovação. A força do aspecto emocional do modelo de maternidade exigente reside no fato de que ele está sendo internalizado pelas próprias mães. A profundidade da internalização pode ser observada nos testemunhos que mimetizam "como as mães deveriam se sentir" e "como deveriam se comportar emocionalmente".

Tirtza (mãe de dois filhos com idades entre 30 e 40 anos e avó)

Eu faço coisas. Eu ligo, me preocupo, fico angustiada, é claro, pergunto, me interesso, visito, convido eles para passarem os feriados comigo e faço toda essa encenação de família, todo esse teatro – mas não é real, eu não me identifico com isso. Visito meus netos, tenho um relacionamento com eles, mas não é algo que me interesse realmente. Não sou eu de verdade. O tempo todo eu penso: quando isso tudo vai acabar para eu poder ir para a cama e ler um livro, ver um bom filme, ouvir um programa de rádio? Essas coisas me interessam mais, me agradam mais, têm mais a ver comigo. Cuidar do jardim, tirar as folhas do quintal... isso me agrada mais. Até hoje.

Sky (mãe de três filhos, dois com idades entre 15 e 20 anos e um com idade entre 20 e 25 anos)

Minha filha, quando quer vir até minha casa, liga e vem, e eu respondo sempre animada: "Que ótimo, estou morrendo de saudade e mal posso esperar para vê-la", mas não é verdade... Eu tento manter as aparências, mas não é verdade. Nem sequer consigo fingir.

Naomi (mãe de dois filhos com idades entre 40 e 45 anos e avó)

Eu faço o que determinam as normas... Por exemplo, toda semana eles vêm à minha casa e eu preparo o jantar, dou presentes nos aniversários, cuido dos meus netos de vez em quando... Faço o que determinam as normas porque sou uma pessoa normativa. Se isso é o que todas as avós fazem, então também faço a minha parte. Mas não sinto que tenho uma *necessidade* imperiosa. Minha necessidade de cumprir as normas é mais forte do que minha necessidade de ser avó, mãe e tudo mais.

Palavras como "encenação", "teatro", "aparências" e "fingir", empregadas por essas mulheres, podem dar a entender que para ser considerada "uma boa mãe" uma mulher deve corresponder à representação de "como uma mãe deve se sentir e agir do ponto de vista emocional", como se houvesse um padrão original que se espera (incluindo por ela mesma) que uma mãe imite. Essas mulheres descrevem sentimentos e comportamentos maternos normativos oriundos de uma sensação de dever, ao mesmo tempo que se sentem de maneira completamente diferente do que se espera delas como mães e avós.

Imitação, citação e representação podem derivar de uma postura emocional de arrependimento da maternidade, mas não se restringem às mães que não desejam ter filhos. Essas estratégias não costumam ser levadas em conta, sobretudo porque a maternidade tende a ser encarada como algo natural, e os gestos maternais são considerados parte da natureza feminina. Mas acontece que ser mãe e exercer a maternidade não basta: a maternidade "correta" tem que ser exibida além de exercida.[17]

De acordo com o filósofo francês François Marie Charles Fourier, onde quer que um regime opressivo se imponha, há simulação.[18] E, de fato, as palavras escolhidas pelas mães no estudo indicam que elas tentam emular os sentimentos maternais e os comportamentos emocionais "certos" de forma a corresponder às regulações emocionais do modelo de maternidade exigente. Nas palavras de Bali:

Bali (mãe de um filho com idade entre 1 e 5 anos)

As pessoas me perguntam: "Você gosta de ser mãe?" E eu abro um sorriso forçado, porque o que posso dizer a elas? Que estou infeliz? Que é difícil? Que quero a minha mãe?

No âmbito pessoal, o fingimento pode ser usado como um mecanismo de autodefesa,[19] sustentando o desejo de não permitir que as paredes da casa desabem. Mas, no plano social, essa prática funciona como um fantasma de utilidade política[20] que mantém a percepção de que existe uma prescrição precisa e natural de "como uma mãe se sente e se comporta" que as mulheres deveriam exibir e seguir.

Maya (mãe de dois filhos, um com idade entre 1 e 5 anos e outro com idade entre 5 e 10 anos, e grávida na época da entrevista)

Eu me lembro de que imediatamente após o nascimento da minha filha, todos os meus tios, tias e amigos com filhos falavam sobre as dificuldades e os desafios ao mesmo tempo que se voltavam para mim e diziam: "Mas que alegria, não é?". E eu respondia: "É, sim... É maravilhoso... Maravilhoso." [...] Ninguém suspeita de nada a meu respeito. Posso não ser uma mãe irrepreensível, mas sou uma mãe que cuida de seus filhos, eles estão sendo nutridos e amados, não sofrem de abandono emocional. Então ninguém percebe. E se ninguém consegue identificar isso a meu respeito, então é impossível identificá-lo em qualquer outra pessoa.

As regulações emocionais que são parte da maternidade exigente atuam, portanto, como fiéis guardiãs da imagem "certa" da "boa mãe", uma vez que essa fantasia existe apenas na medida em que "se dá em" todas as pessoas que "partilham" dela, ao passo que aqueles que renunciam a ela arriscam causar danos a sua imagem diante dos outros.[21]

Do outro lado dessas expectativas sociais que sustentam a imagem da "boa mãe", os contornos da "mãe ruim" são delineados, criando divisões entre as mulheres.

Quando não se comportam de acordo com os padrões morais prescritos por esse modelo – de maneira voluntária ou involuntária, sob o peso de suas circunstâncias de vida –, elas podem se ver rapidamente rotuladas, tanto pelos outros quanto por si mesmas, como mães ruins e nocivas, proscritas com problemas morais e emocionais. As mães podem ser tachadas de "negligentes" quando voltam ao trabalho remunerado "cedo demais" ou "tarde demais" depois do parto, ou nunca; quando não amamentam ou o fazem por "tempo demais" ou de maneira "demasiado pública"; quando resolvem educar os filhos em casa em vez de mandá-los para a escola, ou quando se veem obrigadas – sendo mães solo ou não – a trabalhar longas jornadas fora de casa e são, portanto, acusadas de abandono. Além disso, mães solo, mães que vivem da assistência social, mães imigrantes e mães lésbicas – condições que muitas vezes se sobrepõem – tendem a ser encaradas de forma ainda mais crítica. Isso é promovido em parte pelas instituições médicas, educacionais e psicológicas, pelos fóruns jurídicos e pela mídia, pela indústria da propaganda e pela cultura popular, que costumam centrar a atenção nas mães que não têm parceiros e não têm trabalho remunerado, e que, portanto, dependem de ajuda do Estado para sustentar os filhos.[22]

Dessa forma, mães são rotuladas como "ruins" pela sociedade não apenas por causa do que fazem ou deixam de fazer, mas também por

AS EXIGÊNCIAS DA MATERNIDADE

causa das circunstâncias nas quais conduzem a relação mãe-filho e de quem são. Se são pobres e/ou de baixa escolaridade e/ou não brancas e/ou consideradas não saudáveis – física e mentalmente –, podem se ver expostas a desconfianças públicas no que diz respeito a sua capacidade de conceber e de criar os filhos, e suas decisões são consideradas potencialmente prejudiciais para seus filhos em especial, e para a sociedade como um todo, o que as coloca sob uma rigorosa vigilância.

Em diversos países, é possível identificar quem são as "boas mães" ao observar as propagandas de fraldas e de papinhas de bebê, uma vez que na maior parte das vezes quem aparece nelas são mulheres brancas. Ou seja, esses anúncios não apenas tentam vender o produto, mas cristalizam a imagem da mulher "certa" que tem a capacidade de criar seus filhos da maneira "mais saudável" possível.

A imagem socialmente estabelecida da "maternidade ruim", que se estende para além da identidade e das ações das mães, investe também contra seu mundo emocional. Aquelas que sentem e expressam dificuldade, raiva, desapontamento e frustração tendem a ser vistas como "mulheres com problemas", que não são capazes de estar à altura de seu "verdadeiro destino". Ainda hoje, quando estamos diante de retratos da maternidade com mais matizes e mais do que nunca as mães podem expressar suas dificuldades e angústias, que tendem a ser normalizadas e, portanto, discutidas mais livremente em pesquisas e debates públicos, a maternidade continua a ser capturada no imaginário coletivo como um lugar onde se dispensam cuidados com afeto e ternura, livre de conflitos interpessoais.

Como nos dois últimos séculos passou-se a esperar mais das mães, em contrapartida, diversas mães passaram a esperar mais de si mesmas enquanto penetram cada vez mais fundo em um mundo de sentimentos sombrios, culpa, autoanálise e todos os matizes de ambivalência.[23] Nesse contexto paradoxal, mesmo que a ambivalência acompanhe todas as nossas relações humanas, há apenas uma resposta que a sociedade aceita delas: "Eu amo a maternidade."[24]

Amar os filhos, detestar os filhos, detestar a maternidade

> "Por mais que eu acredite que é normal ter sentimentos ambivalentes em relação à maternidade, ainda sou invadida por uma necessidade quase dolorosa de dizer a seguinte frase toda vez que escrevo qualquer coisa que possa ser interpretada como remotamente 'negativa': 'É claro que amo meus filhos mais do que tudo no mundo.'"[25]

A partir do momento que uma mulher se torna mãe, costuma se iniciar uma reação infinita a uma realidade completamente nova; seu corpo e sua vida podem se transformar no centro de relações conflituosas saturadas de sentimentos complexos, frutos da percepção comum de como uma "boa mãe" deve ser, se comportar e se sentir, em decorrência do "simples" fato de que ela agora é responsável pela vida de outra pessoa e da incerteza dos desdobramentos de longo prazo no que diz respeito aos filhos.[26] Além disso, essa experiência dinâmica de conflito – com as flutuações que uma mãe por vezes sente a cada instante em diferentes estágios do desenvolvimento de uma criança e que variam de criança para criança[27] – pode estar associada a uma sensação de ser explorada. Ao passo que, por um lado, as mulheres vivem sob a sentença de que "as mães sabem o que é melhor", ao mesmo tempo é a mãe que se costuma culpar por ser afetuosa ou distante demais, dominadora e superprotetora ou indiferente e desapegada demais, principalmente por um motivo: é ela, em termos gerais, que está presente durante a infância dos filhos.[28] Ou é a única que se acusa por *não* estar presente.

Essas acusações podem intensificar sentimentos ambivalentes ou contraditórios, quer dizer, explorar a simultaneidade dos sentimentos polarizados das mães, como um desejo de dependência e em seguida de separação, amor e ódio, o anseio de se aproximar e ao mesmo tempo se afastar, ou os momentos de harmonia e conflito. Como expressou, profundamente, a escritora americana Adrienne Rich: "Meus filhos me provocam o sofrimento mais intenso que já

AS EXIGÊNCIAS DA MATERNIDADE

experimentei. É o sofrimento da ambivalência: a alternância infernal entre o amargo ressentimento e os nervos à flor da pele e a ternura e a satisfação prazerosa."[29]

Esse tipo de autorreconhecimento, no entanto, pode ser questionado pela própria mãe quando seu entorno e seu ambiente cultural estabelecem de forma consistente que essa realidade emocional dual é algo inconcebível: "É curiosamente difícil acreditar na ambivalência materna. Mesmo ao escrever um livro sobre o assunto, muitas vezes me vi duvidando de sua existência. Não seria simplesmente uma desculpa apócrifa para mães que odeiam seus filhos? Estaria eu oferecendo uma sensação de tranquilidade vazia ao argumentar em favor da contribuição velada para a maternidade criativa que a ambivalência pode fornecer? [...] Não é fácil para nenhuma de nós aceitar de verdade que ao mesmo tempo amamos e odiamos nossos filhos. Pois a ambivalência materna não é um estado anódino de sentimentos misturados, mas sim um estado mental complexo e contraditório, compartilhado de maneira muito diversa por todas as mães, no qual coexistem sentimentos de amor e ódio pelos filhos. No entanto, muito da culpa onipresente que as mães carregam se origina da dificuldade de lidar com o doloroso sentimento provocado pelo fato de experimentar a ambivalência maternal em uma cultura que se esquiva da existência de algo que ela mesma ajudou a criar."[30]

Em uma sociedade que encerra as mulheres entre intermináveis expectativas idealizadas, impossíveis e contraditórias, as mães que não se consideram onipotentes nem vivenciam a maternidade como "a melhor coisa que lhes aconteceu" ainda são vistas como mães questionáveis, que percorrem o caminho não normativo, enquanto seus sentimentos ambivalentes são associados ao domínio psiquiátrico que trata dos distúrbios mentais, como se elas estivessem sofrendo de um mal fisiológico. Esses tipos de associação clínica são encontrados com menos frequência nos comentários em posts publicados por mães em seus blogs privados. Nesses blogs podemos reconhecer sobretudo a amplitude e a magnitude das dificuldades vivenciadas por diversas delas, uma vez que muitas leitoras expressam em comentários seu alívio por ouvir um eco do que também sentem e pensam. As associações clínicas costumam aparecer "pelas suas costas", nos comentários em colunas de fofocas ou acontecimentos atuais nos sites de notícias, quando mulheres famosas, por exemplo, são notícia por fazerem "a coisa errada" como mães, como se isso evidenciasse seus sentimentos ambivalentes, fato que exigiria que recorressem imediatamente a uma terapia.

As teorias psicanalíticas podem ter reconhecido que a maternidade pode ser conflituosa para muitas mulheres, mas em alguns momentos também colocaram as mulheres no banco dos réus, mesmo sem sua presença física ou perspectiva pessoal. A renomada psiquiatra Helene Deutsch, por exemplo, descreveu a ambivalência como uma parte possível do mundo emocional da vivência das mães, mas ao mesmo tempo afirmou que mães ambivalentes sofriam de um "masoquismo feminino natural".[31]

Esse tipo de visão crítica sobre as mães que não são consideradas adequadas às determinações rígidas das normas afetivas pode ser observado na demora em identificar a depressão pós-parto como um estado (relativamente) legítimo que as mulheres enfrentam e contra o qual lutam. Durante muitas décadas as mulheres não podiam dizer, depois de dar à luz, que tinham algum tipo de sentimento que não aqueles que se esperava que tivessem, e temiam admitir isso, pois sabiam que seriam imediatamente rotuladas de "mães ruins":

É difícil, para mim, escrever este post. É aterrorizante revelar ao mundo meus segredos mais profundos e obscuros, mas já fiz isso antes e vou fazer de novo. Semana passada, reconheci em mim os sintomas de depressão pós-parto ao ler sobre a jornada de outra mulher até chegar ao diagnóstico. Estou disposta a tornar meus segredos públicos na esperança de que outra mulher possa reconhecer seus sintomas em minha história. [...] Temo que os outros me vejam como uma pessoa fraca, ou menos mãe.[32]

AS EXIGÊNCIAS DA MATERNIDADE

Ademais, as mulheres que sofrem de depressão pós-parto podem se sentir péssimas mães não apenas porque têm medo de ser rotuladas assim pelas outras pessoas, mas por causa dessas normas afetivas que podem estar internalizadas por completo.

Além de criticar a ambivalência como algo que rompe com as normas afetivas, nas últimas décadas, pesquisadores, escritores e diversos tipos de terapeutas passaram a considerar a ambivalência materna saudável uma característica intrínseca da experiência de ser mãe e parte do espectro de sentimentos ambíguos em relação aos filhos e à maternidade.[33] Esse espectro de emoções contraditórias era visto como uma fonte inesgotável para mães quando distinguia e separava a ambivalência materna insuportável e incontrolável da ambivalência materna suportável e controlável que pode promover um desenvolvimento emocional. Dessa maneira, a angústia de uma mãe e a coexistência insuportável do amor e do ódio pelo bebê seriam sentimentos capazes de *estimulá-la* continuamente a buscar soluções criativas.[34]

Assim, talvez o conflito amor-ódio que as mães podem experimentar em relação aos filhos as ajude a adquirir ferramentas intelectuais e emocionais para compreender seu bebê e suas necessidades, pois o sofrimento da ambivalência pode fomentar a reflexão, e a capacidade de pensar no bebê e na criança é provavelmente o aspecto mais importante da maternidade.[35]

Vista dessa forma, a capacidade de suportar a ambivalência e a dor que ela inflige fica ao alcance da mãe quando ela reconhece que a perfeição de seu bebê e a sua própria são uma fantasia à qual é melhor renunciar. Da mesma maneira, uma mãe que descobre como conter esse conflito pode ser capaz de sentir amor, preocupação e compaixão por seus filhos ao mesmo tempo que sente raiva, decepção, frustração e impotência – capacidade emocional que dá origem a uma nova faceta rica e diversa dentro de si mesma e que, portanto, pode ser também um marco de desenvolvimento maternal.

Os pesquisadores afirmam, então, que a ambivalência materna pode proporcionar transformação e reparação, como uma conquista emocional daquelas mulheres que enfrentam perturbações emocionais, fantasias e conflitos relacionados com sua maternidade e como um estado que pode fomentar potencialmente flexibilidade e dinamismo emocional.[36]

Por outro lado, as mulheres que têm sentimentos ambíguos em relação à maternidade podem desenvolver histórias progressivas sobre um movimento em direção a um ponto final positivo da experiência maternal, pois podem usar relatos de crescimento futuro e superação de obstáculos que garantem que um dia tudo *vai* ficar bem.[37]

Esse tipo de reorganização de experiências maternais conflituosas pode ajudar as mães a sobreviverem um dia de cada vez. No entanto, ele também pode emergir em uma sociedade na qual é considerado um descumprimento das regras admitir *a posteriori* que a maternidade não satisfez o que foi prometido e que, no fim das contas, não valeu a pena.

Ao analisarmos cuidadosamente o arrependimento, podemos ver que às vezes as mães têm uma história diferente a contar; uma história que rejeita tanto a rotulação patológica quanto o desejo social de reconciliação por meio da normalização do ressentimento em relação à maternidade. Com relatos que divergiam desse tipo de movimento linear, as mulheres que participaram do presente estudo – que não têm apenas bebês, mas também filhos na casa dos 30 anos – expressam o sentimento de arrependimento rejeitando a história progressiva de uma figura feminina inevitavelmente obrigada a ser mãe e que se adapta pouco a pouco à experiência maternal. Frases como "Não é para mim" ou "Logo vi que não fui talhada para isso", assim como o fato de se sentir completamente "em paz" com a ideia de se arrepender da maternidade expressam uma opção dentre muitas possíveis: um movimento no sentido de se distanciar de maneira deliberada de

AS EXIGÊNCIAS DA MATERNIDADE

uma meta de integração, de deixar de ver sua angústia como um mal necessário para manter o *status quo*.

Dessa maneira, o arrependimento personifica uma identidade feminina distinta, que se distancia das expectativas culturais em relação à maternidade como algo que conduz à assimilação e, portanto, não pode ser tocado pelo desejo de desfazer.

3. Mães arrependidas: Se eu pudesse não ser mãe de ninguém

"Era difícil dizer que ter filhos foi um erro... que no fim das contas é apenas um grande fardo para mim. Levei muito tempo para conseguir dizer essas palavras. Eu pensava: nossa, se disser algo assim, as pessoas vão achar que fiquei louca. Ainda hoje..."

Sky (mãe de três filhos, dois com idades entre 15 e 20 anos e um com idade entre 20 e 25 anos)

O arrependimento é uma postura emocional que pode ser acompanhada de uma confusão e de um sofrimento enormes. Para as mulheres que se arrependem de ser mães, pode ser intolerável, pois elas têm que lidar não apenas com seu contínuo sofrimento, mas se ressentem de quase todas as possibilidades de falar sobre o que sentem, uma vez que o arrependimento não deve ser associado à maternidade.

A busca pelas causas de o arrependimento em relação à maternidade não ser aceito socialmente tem que começar com um exame mais profundo das normas afetivas que ditam em quais esferas e situações sociais é permitida e até mesmo esperada a expressão do arrependimento, e em quais se exige sua repressão. Portanto, essa discussão não pode ser realizada sem abordar as maneiras pelas quais a sociedade lida também com o tempo e a memória, uma vez que o arrependimento é uma postura emocional que estabelece uma ponte entre o passado e o presente e entre o tangível e o recordado.

Tempo e memória

Nas culturas ocidentais modernas baseadas nas ideologias capitalistas e industriais, concebemos o tempo como algo linear, padronizado, absoluto, que viaja ao longo do curso irreversível de uma flecha indestrutível: pensamos o tempo como algo que avança em uma linha, afastando-se de um passado e de uma história imutáveis em direção a um futuro aberto e contínuo. Muitos de nós tendem a ver a si mesmos como alguém que acorda todos os dias para passar ao próximo estágio rumo a um destino final, seja ele conseguir uma promoção no trabalho, ganhar mais dinheiro ou fazer nossa existência progredir para condições melhores. As raízes dessa concepção de tempo estão na tradição judaico-cristã, segundo a qual a gênese e o fim do mundo traçam uma progressão linear, uma história de salvação e redenção, já que o significado mais profundo de uma pessoa será revelado no fim da jornada.[1]

Relacionar-se com o tempo dessa forma emoldura a vida e a experiência de cada indivíduo desde o nascimento, pois isso torna a fantasia de "fazer as engrenagens voltarem atrás" algo irracional. Assim, cinzas entrando em combustão espontânea e voltando a ser lenha, folhas se erguendo do chão e voltando a se prender aos galhos de onde caíram, velhos carros enferrujados voltando a ser limusines reluzentes tendem a ser vistos como ideias absurdas. A reversibilidade entendida como uma volta ao estado anterior a uma ação, um relato e um conhecimento está além do possível na vida social, mesmo em nosso imaginário coletivo.[2]

Essa percepção linear do tempo está profundamente enraizada em uma rotina diária que parece feita de acontecimentos sequenciais que vão do passado para o presente, no ritmo do ponteiro de um relógio – um ritmo e uma direção que supostamente existem fora de nós mesmos, à margem da nossa realidade. Assim, muitas pessoas acreditam piamente que há um "momento certo" para cada um dos objetivos que estabelecemos como um "marco" – seja fazer sexo pela primeira vez, casar-se ou ter filhos.

No entanto, apesar de ser uma determinação autoritária, parece que a percepção linear é demasiado limitada, uma vez que nossas experiências subjetivas do tempo são muito mais variadas e diversas. Assim como se distingue entre um mapa e o conhecimento de um território, também é possível diferenciar um relógio de uma experiência temporal.[3] O tempo voa quando estamos nos divertindo, parece uma eternidade enquanto esperamos, falta quando temos muito que fazer e sobra durante uma ociosidade imposta. Além disso, costuma se ver revestido de "tempo interno" que se manifesta nas memórias, nos devaneios, nos pesadelos e nos *flashbacks*, nas paixões e nos aromas. Até mesmo ouvir música pode servir como uma máquina do tempo, transportando-nos para outros momentos e épocas enquanto rompe com nossa percepção da continuidade sequencial.[4]

Desse modo, uma experiência subjetiva do tempo significa que podemos nos ver como se estivéssemos a bordo de uma embarcação que nos transporta de um lado para o outro entre passado, presente e futuro como se fossem objetos tangíveis e negociáveis, enquanto revisamos repetidamente nosso próprio passado e o passado do mundo. Quando encaramos as consequências de nossos atos e decisões, nossa memória esboça mapas de mundos imaginados nos quais as decisões podem ser mudadas e ainda é possível criar uma realidade alternativa àquilo que se supõe que se tornou invariável.[5] Por conseguinte, mesmo que não possamos reviver o passado ou mudá-lo, ele não está necessariamente perdido; em muitos sentidos, como disse o escritor americano William Faulkner: "O passado não está morto. Nem sequer é passado."

Ainda que nossa experiência pessoal do tempo seja sólida e válida, vivemos em uma sociedade que tende a desvalorizar qualquer tipo de preocupação com o que se considera passado, a não ser nas duas situações seguintes: um olhar nostálgico que se deleita com o que um dia foi; e uma recordação pragmática com o objetivo de melhorar o futuro. A legitimação desse método desejável e até mesmo recomendado de olhar para trás pode ser ouvida, por exemplo, nas famosas palavras do filósofo George Santayana: "Aqueles que não recordam o passado estão condenados a repeti-lo." As datas comemorativas institucionalizadas são um dos muitos exemplos que ilustram a orientação cultural de "olhar para trás" e recordar a fim de impedir que o passado se repita no futuro. Outro exemplo desse olhar para trás legitimado pode ser observado nas teorias psicanalíticas sobre o comportamento humano e o desenvolvimento da personalidade que se baseiam na premissa de que a experiência da primeira infância afeta profundamente a vida de um indivíduo, assim como na psicoterapia, que se concentra em interpretar o passado como um serviço para o presente e o futuro.

No que diz respeito a outras formas de olhar para o passado, como, por exemplo, recordações que não têm o objetivo de melhorar o futuro, mas se aproximam muito de experiências traumáticas, oportunidades perdidas, erros, ressentimentos e desgraças, porém, somos orientados a manter distância, silenciar o passado e esquecê-lo.[6] Essa atitude pode ficar clara na reação social a episódios de assédio sexual, por exemplo, quando muitas mulheres são aconselhadas a esquecer e seguir em frente.

O evitar olhar para trás sem propósito, ato que pode inclusive acarretar punição, é mostrado no livro do Gênesis, por exemplo, que nos conta a história da mulher de Ló, transformada em uma estátua de sal, completamente petrificada, por desobedecer às orientações e se voltar para trás para ver Sodoma e Gomorra. O Novo Testamento também adverte sobre o perigo de olhar para trás, para o que foi um dia, com estas palavras que Jesus dirige a seus discípulos: "Naquele dia, quem estiver no telhado de sua casa não deve descer para apanhar os seus bens dentro de casa. Semelhantemente, quem estiver no campo não deve voltar atrás por coisa alguma. Lembrem-se da mulher de Ló! Quem tentar conservar a sua vida a perderá, e quem perder a sua vida a conservará" (Lucas 17, 31-33).

O mesmo se observa na mitologia grega, na história de Orfeu, que se casa e vive com Eurídice até a morte dela, depois de pisar em uma cobra venenosa enquanto fugia de Aristeu, que tentou violentá-la. Orfeu desce às profundezas do Inferno para trazer a esposa de volta à vida. Hades, deus dos mortos, concorda em deixar que ela volte para o mundo dos vivos com a condição de que Orfeu caminhe à frente e não olhe para trás até chegarem à superfície. Orfeu não consegue se conter e, quando se volta para ver o rosto de Eurídice, ela desaparece nas sombras do submundo para sempre.

Além desses preceitos religiosos que acompanham consciente ou inconscientemente nosso cotidiano até os dias atuais, conceitos seculares e científicos sobre o tempo pairam sobre nossa cabeça, assim como – nas palavras de Isaac Newton – "o tempo é absoluto, verdadeiro e matemático [...] em si e por sua própria natureza, flui uniformemente sem relação com nada externo".[7] Mediante essa visão do tempo como algo que se move em uma única direção, as pessoas aprendem não apenas que seu passado e sua história estão fisicamente encerrados atrás delas, mas também que são obrigadas a deixar certas coisas para trás, pois "o que está feito está feito". Assim se formam as "leis da memória" sociais; leis que institucionalizam a ideia de que determinados acontecimentos e momentos podem ser revisitados e relembrados e, de fato, são dignos de celebração e investigação, ao passo que outros, segundo se há de supor, devem ser esquecidos e deixados para trás.[8]

Revisitar experiências passadas pode provocar várias reações cognitivas e emocionais e, como a seção a seguir vai mostrar, a postura emocional do arrependimento se inclui entre as reações a um passado que não aconteceu.

Arrependimento: O desejo de desfazer o irreversível

Lembrar e refletir sobre algo que aconteceu ou que se fez pode perpetuar o que é, um deter-se no passado e nada mais; mas também pode estimular pensamentos *a posteriori*, como "E se..." e "Quem me dera...", que induzem à comparação, por um lado, entre uma decisão e um caminho que foram tomados e levaram a resultados indesejados, e, por outro lado, uma decisão e um caminho alternativos que poderiam ter sido escolhidos para chegar ao que se consideraria um resultado mais positivo.

Pensamentos do tipo "E se..." podem nos levar a imaginar caminhos alternativos que poderiam ou deveriam ter sido tomados sem que se deseje alterá-los; esses pensamentos, porém, também podem despertar sentimentos *a posteriori* – tanto em indivíduos como em Estados e coletividades –, tais como decepção, tristeza, pesar, auto-condenação, vergonha, culpa e arrependimento: "Se eu tivesse dito a ele o quanto o amava antes de ele morrer" e "O que teria acontecido se eu não tivesse dito a ela aquelas palavras cheias de raiva" são frases que expressam, por exemplo, o desejo de desfazer o irreversível.

Como outros sentimentos, o arrependimento é uma postura emocional subjetiva que reflete os valores, necessidades, decisões e história pessoal de uma pessoa, mas, ao mesmo tempo, é formado pelo entorno, segue as determinações da sociedade, e sua expressão ou não expressão tem uma relevância social.

Em um tribunal, por exemplo, espera-se que os seres humanos sintam arrependimento, sua expressão é uma condição necessária para a absolvição, a regeneração e a manutenção da ordem social. Os juízes o levam em consideração quando deliberam em um julgamento; os advogados o usam como tática para obter uma sentença indulgente; e um condenado pode ter o pedido de liberdade condicional negado se não conseguir demonstrá-lo.

Expressar arrependimento no âmbito jurídico, livre de dissimulações, é considerado uma prova de que uma pessoa está assumindo a responsabilidade por seus atos, aceitando a culpa e retirando-a da vítima. Ademais, como o arrependimento é visto como um sinal de responsabilidade pessoal, assemelha-se a um pedido de desculpas, gesto que pode levar alívio a todos os envolvidos e diminuir a necessidade de punição. Além disso, o arrependimento pode implicar sofrimento e pesar, o que pode ser considerado por si só uma punição, diminuindo, assim, a necessidade de outras penas. E mais: acredita-se que o arrependimento reduz as chances de reincidência. Da mesma maneira, a incapacidade de um réu de sentir ou demonstrar arrependimento pode ser interpretada como negligência ou algo pior: a incapacidade de compreender a gravidade de seus atos, o que demanda uma punição severa para que isso fique claro. Por fim, demonstrar arrependimento diante de um tribunal é um atestado de sanidade e de uma percepção saudável da realidade, e um réu que não o demonstra pode ser visto, portanto, como uma pessoa que padece de algum desvio moral e que talvez mereça uma punição severa e um longo encarceramento a fim de proteger os outros cidadãos.[9]

Essa função do arrependimento também se evidencia em várias esferas religiosas. As três religiões monoteístas veem o arrependimento como um posicionamento moral que permite que uma pessoa assuma a responsabilidade pelo que fez e, assim, seja absolvida do erro no qual incorreu. No cristianismo, o arrependimento é necessário, assim como o ato de se penitenciar pelos pecados, e o confessionário é um símbolo arquitetônico que convida e encoraja sua revelação. No judaísmo, todos os anos se celebra o Rosh Hashaná (o ano-novo judaico), o Yom Kippur (o dia da expiação) e, entre eles, os Dias de Reverência ou os Dez Dias de Penitência, período reservado à reflexão, confissão, demonstração de arrependimento e pedidos de perdão a Deus e ao próximo. O mês de jejum islâmico, o Ramadã, é dedicado em parte a expressar arrependimento pelos pecados cometidos a fim de obter o perdão. Um dos nomes de Alá, que aparece 11 vezes ao longo do Corão, é آل التواب, que quer dizer "aquele que aceita a contrição". Os intérpretes alegam que Alá aceita a contrição daqueles que se arrependem sinceramente de seus atos e se voltam para ele em busca do perdão, pois a palavra *Tawwab* – que quer dizer "aquele que retorna com frequência" – alude à aceitação recorrente por parte de Alá daqueles que se arrependem de verdade de seus pecados e maus atos, e não apenas por obrigação.[10]

Nas esferas nas quais o arrependimento não se produz como consequência de um pecado ou crime, ele é encarado como uma postura emocional controversa. Por um lado, pode ser visto como uma defesa da integridade de cada pessoa e uma espécie de continuidade entre o passado e como deveria ser o presente. O arrependimento, portanto, pode ser encarado como um testemunho para a moralidade e pode motivar os indivíduos a agir de maneira diferente caso vivenciem uma situação similar no futuro, ou impedir que repitam um comportamento que já foi motivo de arrependimento. Se uma pessoa diz aos amigos, por exemplo, que lamenta não telefonar para os pais com mais frequência, receberá sua aprovação e provavelmente será encorajada a mudar seu comportamento. Isso significa que o arrependimento, o pesar, o sofrimento, o desespero, a dor e a angústia permitem que uma pessoa reconheça suas más ações (não apenas um pecado ou crime), erros para os quais poderia permanecer cega se não fossem esses sentimentos.

Por outro lado, em uma sociedade capitalista e neoliberal baseada no espírito do progresso, o arrependimento pode ser considerado um sinal de descontrole. Enquanto todos os nossos atos têm como objetivo superar os desafios da vida, o arrependimento é visto como nada além de uma violação desafiadora das normas. Portanto, admitir que se arrependeu é uma prova do fracasso do pragmatismo e do otimismo, pois conduz potencialmente a autoflagelações torturantes e a uma impotência paralisante, que pode levar indivíduos ou coletivos a se fixarem em um passado que inevitavelmente terminou e frustrar-se com uma realidade atual inflexível.

Assim, uma sociedade que tem conflitos com seu passado e deseja se desvincular dele e dos erros cometidos procura evitar o arrependimento.

Basta recordar os ditados supostamente reconfortantes que se converteram em ordens, como "Não chore sobre o leite derramado", para nos darmos conta de que o arrependimento é visto como uma postura emocional que devemos superar, uma espécie de inimigo cruel, uma doença. Nesse sentido, invocar o arrependimento carrega um pesado fardo patológico: a volta angustiada aos domínios do passado, rumo a erros antigos sem um propósito aparente é considerada um sintoma de problemas patológicos e deve, portanto, ser direcionada para os canais apropriados, como grupos de apoio e centros de terapia.[11]

Apesar de o arrependimento ser uma postura emocional controversa, na prática, na vida diária, ele é sentido e expresso em seguida a experiências pessoais de erros e oportunidades perdidas em diversas situações. Os psicólogos Neal Roese e Amy Summerville, que realizaram uma pesquisa sobre as esferas nas quais mulheres e homens norte-americanos demonstram arrependimento, descobriram que a educação ficava em primeiro lugar em todos os grupos por faixa etária, situação socioeconômica e estilo de vida. O emprego vinha em segundo lugar, seguido de relacionamentos amorosos, questões de saúde e criação dos filhos.[12]

No que diz respeito a ter filhos, são mencionados procedimentos médicos como ligadura de trompas e interrupção da gravidez,[13] assim como colocar um filho para adoção e aceitar acordos de gestação por barriga de aluguel.[14] O arrependimento é sentido e expresso ainda em relação ao momento de tê-los e ao intervalo entre os nascimentos, além da decisão de ter ou não mais filhos. Estudos também mostram que o arrependimento também é sentido e demonstrado por aqueles que decidem não ser pais/mães[15] e pelas mulheres que, depois de dar à luz, decidem ser mães solo.

No âmbito das relações familiares entre pais e filhos, o arrependimento é sentido e expresso depois que se experimentam diferentes tipos de criação e educação dos filhos: como resultado de uma disciplina dura e das rígidas limitações de vários métodos educacionais, assim como de punições, especialmente físicas, como a violência exercida por parte dos pais em relação aos filhos.[16] O arrependimento também é expresso como consequência de um sentimento comum a pais e mães em geral, às mães em particular, porque não passam tempo suficiente com os filhos ou porque o tempo que de fato passam com eles não é dedicado a atividades prazerosas. Outras pesquisas mostram que o arrependimento também é sentido como consequência de relações familiares precárias entre filhos, pais e irmãos, ou devido ao fato de causar "problemas" para a família; algumas mulheres lamentam um equilíbrio insatisfatório entre a vida doméstica e o trabalho,[17] e algumas mães se ressentem de não trabalhar fora de casa, como se pode observar no seguinte relato de uma mãe e escritora norte-americana: "Agora, na curva descendente da criação dos filhos, questiono a minha decisão de ficar em casa. Embora não conheça nenhum pai ou mãe que se arrependa do tempo passado com os filhos, especialmente os filhos que já partiram para viver a própria vida – entre os quais me incluo –, vista em retrospecto, minha decisão parece equivocada. Embora eu tenha plena consciência de que ser mãe em tempo integral foi certamente um luxo, ao ver-me diante de um ninho vazio e de perspectivas muito reduzidas de emprego, sinto um grande remorso."[18] Essa longa, ainda que parcial, lista de esferas nas quais pode surgir o arrependimento revela que a falta de sorte, as perdas e os erros são um componente integral das relações humanas e, como tal, podem ser vivenciados em todos os âmbitos da vida nos quais os indivíduos tomam decisões, atuam, criam e sentem, e inclusive aqueles nos quais se evita fazer ou criar algo. Nesse caso, por que arrepender-se da maternidade é uma postura emocional inconcebível?

Políticas de arrependimento, reprodução e maternidade

Embora pessoalmente possamos considerá-lo uma experiência desagradável e torturante, e embora não se enquadre em nosso espírito social de progresso e eficiência, o arrependimento pode ser valorizado e reconhecido quando se adapta às normas sociais dominantes. Tal pode ser o caso nas situações que envolvem ir contra a ordem mundial. Por exemplo, em uma sociedade que considera o hábito de fumar repugnante, uma pessoa que expresse seu arrependimento por ter fumado durante muitos anos será encarada de forma muito diferente de uma pessoa que lamente nunca ter fumado; em uma sociedade que santifica o que se costuma chamar de estilo de vida saudável, uma pessoa que se arrependa de não ter feito exercícios físicos será encarada de forma muito diferente de uma pessoa que se arrependa de ter se exercitado.

Desse ponto de vista, o arrependimento se torna um cão de guarda da hegemonia, um mecanismo normalizador cujo propósito é devolver cada um de nós ao seio da sociedade: arrepender-se de ter se comportado de maneira contrária ao socialmente esperado não apenas conquista o respeito dos demais, mas também pode ser usado para preservar determinados valores de uma sociedade. Isso pode ser visto claramente na esfera da maternidade, ainda mais quando relacionado a uma questão controversa como a interrupção da gestação. A questão não é se as mulheres tendem a se arrepender de uma interrupção voluntária da gravidez, pois algumas se arrependem *a posteriori*, e outras, não. Além disso, as mulheres podem enfrentar diversas interrupções de gestação ao longo da vida e não se arrepender de nenhuma, se arrepender de todas ou se arrepender de apenas algumas. Portanto, a pergunta a fazer é: como o arrependimento é usado no que diz respeito à interrupção da gravidez em uma sociedade que encoraja e exige nascimentos?

Um dos usos é pressioná-lo contra as têmporas das mulheres, ou seja, usar o arrependimento como uma arma cujo objetivo é ameaçar, acuar, alinhar e regular, assegurando-lhes que certamente vão lamentar se fizerem um aborto, uma vez que devem estar intrinsecamente conectadas a sua gravidez devido ao desejo inato de ser mães.

Esse pensamento social não deixa muita margem para razões adicionais pelas quais as mulheres podem se mortificar depois de um aborto, mesmo que não se arrependam dele. É possível que tenham internalizado de tal maneira os códigos morais que execram a interrupção da gravidez e então temam infringi-los e ser vistas como pecadoras ou criminosas. Além disso, não se leva em conta que, às vezes, sentimentos angustiantes surgem depois do fim de um relacionamento amoroso por causa do aborto e da desaprovação social que ele acarreta – uma desaprovação combinada a julgamento e estigmatização, por mais que as próprias mulheres sintam que interromper a gravidez tenha sido a decisão acertada devido ao alívio que lhes proporcionou. Elas podem se sentir aliviadas porque a interrupção da gravidez é uma das formas de as mulheres *evitarem* entrar em uma relação *indesejada* (maternidade, relacionamento amoroso, casamento) ou *impossível* se forem incapazes de se comprometer a criar e cuidar de uma ou mais crianças por motivos diversos.[19]

A suposição de que existe um *vínculo* feminino inato com a gravidez é incessante, negando a possibilidade de sequer *desejar evitar* seus resultados; o arrependimento em relação à interrupção da gravidez é, portanto, uma reação emocional inevitável. Em decorrência dessa abordagem e em um círculo vicioso de interpretações, mesmo quando as mulheres de fato experimentam sentimentos ambivalentes e angustiantes depois de se submeter a um aborto, esses sentimentos podem ser interpretados de maneira equivocada pelos outros como simples arrependimento, uma vez que avaliar a relevância dessas emoções e a história social alternativa que poderiam contar parece desnecessário. À luz dessa profecia agourenta, o futuro arrependimento é apresentado como o pior cenário possível; pior do que uma gravidez indesejada.[20]

Além disso, também há discrepâncias no que diz respeito à avaliação retrospectiva por parte de homens e mulheres da decisão de não ter filhos, uma vez que as mulheres que não desejam ser mães são empurradas para a maternidade com o instrumento do arrependimento. A ameaça é quase inescapável, já que elas são expostas a imagens aterradoras da vida fora da norma e a cenários de um futuro amaldiçoado que vai inevitavelmente fazer com que lamentem a decisão e anseiem pelos filhos que não tiveram,[21] o que pode ser visto na seguinte mensagem escrita em um fórum na internet chamado "Mulheres que não querem filhos": "Acredite, você vai se arrepender. Na minha opinião, dentro de cinco anos, você vai se arrepender e então vai ter um filho como todo mundo (ou a maioria das pessoas). Se você vê um filho apenas como sinônimo de trabalho e despesas financeiras, então lamento por você. Um filho é muito mais do que despesas. Um dia (talvez dentro de alguns anos), você vai se arrepender de ter perdido o bonde."

Assim, a mensagem sistemática é: se você tem mais de 30 anos, está se esgotando seu tempo de formar uma família. Você pode achar que não está interessada, mas está errada; vai ser tomada por esse desejo, mas será tarde demais: "Você-vai-se-arrepender."

Assim, uma sociedade que retrata a não maternidade como algo perigoso e inerentemente lamentável pode enquadrar a experiência das mulheres mesmo quando sua experiência subjetiva da não maternidade transcende a complexidade dessa argumentação. Enquanto esse jogo mental de ameaças e advertências é empregado de forma sistemática em muitas mulheres, o outro lado da moeda permanece em silêncio; e as vozes daquelas que em retrospecto se arrependem de ser mães seguem ignoradas, o que consequentemente alimenta a suposição de que elas não são ouvidas porque na verdade não existem.

Em 1989, o sociólogo Arthur Neal e sua equipe perguntaram a 412 norte-americanos brancos e negros sobre sua perspectiva a respeito de ter filhos – tanto a positiva quanto a negativa – e ordenaram as negativas, reunidas sob a expressão do arrependimento, entre as seguintes respostas: "A responsabilidade de cuidar dos filhos toma uma parte muito grande do meu tempo"; "Meus filhos me causam estresse e preocupação demais"; "Às vezes gostaria de voltar para a época em que ainda não tinha filhos"; "Às vezes me sinto sufocado(a) pela responsabilidade de ser pai/mãe", e "Eu gostaria de ter esperado mais antes de ter meu primeiro filho".[22]

Embora essas respostas descrevam o arrependimento como a expressão de dificuldades em relação à paternidade/maternidade, as declarações das mães no presente estudo eram em essência regidas pela declaração: "Não deveríamos ter feito isso."

É exatamente esse tipo de declaração contundente que está quase ausente da vida cotidiana. Em sociedades que estimulam a natalidade, arrepender-se de ser mãe é inaceitável a ponto de refutação, e sua ocorrência potencial não é levada em conta. Por conseguinte, as mulheres que param para avaliar se querem ou não ser mães não deveriam ser confrontadas com ameaças de um futuro arrependimento, porque, para isso, deveria existir uma decisão que não tem lugar, ou seja, uma possibilidade impossível.

Como o arrependimento é uma postura emocional controversa de maneira geral e como a condição de mãe é sagrada em diversas sociedades em particular, arrepender-se de ser mãe é considerado impensável na economia de normas afetivas da maternidade, à exceção de duas circunstâncias não normativas: lamentar não ter tido filhos ou ter filhos que se desviaram do caminho moral ou legal, mas não a experiência subjetiva da maternidade *per se*. Portanto, o arrependimento só é concebível devido a um resultado final – a ausência de filhos ou um filho "com problemas" –, mas não como a experiência emocional de uma mãe, um ser que tem direito a suas próprias emoções. O arrependimento como resultado da experiência pessoal da maternidade – *per se* – é encarado, por um lado, como inexistente e inconcebível e, por outro – caso não seja negado –, é considerado ilegítimo, algo digno de condenação e, fundamentalmente, objeto de incredulidade.

"Foi um grande erro": O ponto de vista das mulheres

Durante as entrevistas, fiz a cada uma das mulheres que participaram da pesquisa a seguinte pergunta: "Se pudesse voltar no tempo com o conhecimento e a experiência que tem hoje, você seria mãe/teria filhos?"

Todas responderam que não, ainda que de maneiras diferentes:

Sky (mãe de três filhos, dois com idades entre 15 e 20 anos e um com idade entre 20 e 25 anos)

Se eu pudesse voltar atrás, tenho certeza de que não traria nenhuma criança ao mundo. Isso está *absolutamente claro* para mim.

Susie (mãe de duas filhas com idades entre 15 e 20 anos) respondeu antes mesmo que eu terminasse de fazer a pergunta

Eu não teria filhos, ponto final, não tenho dúvida. [...] Sempre digo que cometi três erros fatais na minha vida: o primeiro foi escolher meu ex-parceiro, o segundo foi ter filhos com ele, e o terceiro, simplesmente ter filhos.

Doreen (mãe de três filhos com idades entre 5 e 10 anos) respondeu com veemência antes que eu finalizasse a pergunta

Doreen: Eu renunciaria completamente a ter filhos.

Eu: Os três?

Doreen: Sim. É muito doloroso dizer isso, e eles nunca vão ouvir isso
de mim. Eles não entenderiam, mesmo que tivessem 50 anos, ou talvez apenas então, mas não tenho certeza. Eu abriria mão de tê-los,
totalmente. Sério. Sem pestanejar.

Carmel (mãe de um filho com idade entre 15 e 20 anos)

Eu tive meu filho quando tinha 25 anos. Está muito claro para mim
que, se eu soubesse naquela época o que sei hoje – sobre mim mesma
e sobre o mundo –, eu não o teria tido. Claro e simples. [...] Não se
passa um dia em que eu não agradeça por ter apenas um filho. Nem
um dia se passa sem que eu pense: "Tenho sorte de ter apenas um." E
isso depois de pensar: "Lamento ter até mesmo um." [...] Eu preferiria
não ter filhos.

Debra (mãe de dois filhos com idades entre 10 e 15 anos)

Você perguntou o que eu faria se pudesse voltar no tempo... definitivamente não teria filhos. Apesar de eles serem maravilhosos e encantadores,
e do que eles me dão ser incrível. Não nego isso. Eles acrescentaram
uma dimensão a minha vida que de outra forma não existiria. Mas, se
eu pudesse voltar no tempo sem sentir culpa e todos esses outros sentimentos? Não escolheria esse caminho.

Odelya (mãe de um filho com idade entre 1 e 5 anos)

Para mim, foi um erro. Sério. Porque é uma obrigação, e eu quero viver
minha vida e tenho muitos planos. [...] É por isso que me arrependo,
porque poderia ter feito outras coisas que são importantes para *mim*.

Erika (mãe de quatro filhos com idades entre 30 e 40 anos e avó)

Erika: Posso lhe dizer agora, olhando para trás, que valeram a pena trinta anos de sofrimento? *Absolutamente, definitivamente, certamente* [gesticula para acentuar a veemência da negação] *não. Não.* Eu faria de novo? *Nunca.* Se pudesse fazer essa escolha hoje, talvez eu tivesse um, menino ou menina, tanto faz.

Eu: Por que não faria de novo?

Erika: Por quê? Vou lhe dizer: porque não tive um dia sequer nesta vida que tenha sido tranquilo, e não venho de uma família pobre. Não é uma questão de dinheiro. Não tive um dia sequer de tranquilidade enquanto criava meus filhos. Nunca.

Brenda (mãe de três filhos com idades entre 20 e 25 anos)

Em retrospecto, eu não teria nem mesmo um filho.

Bali (mãe de uma filha com idade entre 1 e 5 anos)

Eu: E se você pudesse "voltar no tempo"?

Bali: Com o que sei hoje, eu voltaria. Mas, como não dá para voltar atrás, não mudaria isso. Porque a vida dela é dela.

Eu: O que quer dizer?

Bali: Que agora estou aqui para cuidar de outra pessoa e não apenas para me divertir. É uma responsabilidade que eu gostaria muito de não ter, mas já a assumi.

Jasmine (mãe de um filho com idade entre 1 e 5 anos)

Eu *não suporto* ser mãe. *Não suporto* esse papel. [...] Posso dizer com certeza que sim, se eu soubesse o que sei agora três anos atrás? Não teria filhos. Não teria nem um.

Helen (mãe de dois filhos com idades entre 15 e 20 anos)

Começou agora. Nesta idade... É realmente o começo, quando estou começando a sentir... Orly sempre foi independente e madura... E Eran foi convocado... Estou começando a desfrutar da liberdade. De verdade. É a melhor coisa para mim. Mas, ainda assim, se eu for completamente honesta comigo mesma, pessoalmente preferiria viver sem filhos.

Sophia (mãe de dois filhos com idades entre 1 e 5 anos)

Ainda hoje, quando eles estão com 3 e 5 anos, se o gênio da lâmpada viesse e me perguntasse: "Deseja que eu os faça desaparecer como se nada tivesse acontecido?" Eu responderia que sim sem hesitar.

Sunny (mãe de quatro filhos, dois com idades entre 5 e 10 anos e dois com idades entre 10 e 15 anos)

Acho que não teria filhos. Eu nunca diria isso aos meus filhos, e eles sabem que faço tudo por eles, sabem que faço sacrifícios por eles regularmente, mas eu... [sorri] não assumiria esse projeto de novo. Especialmente se soubesse que depois ia acabar me divorciando e que ficaria tudo nas minhas costas. Há outras circunstâncias que tornam as coisas ainda mais difíceis: tenho dois filhos com necessidades especiais, o que é ainda mais duro.

Liz (mãe de um filho com idade entre 1 e 5 anos)

Provavelmente não. Provavelmente não. Veja bem, é difícil, para mim, dizer isso, porque acredito que talvez as coisas melhorem, talvez as coisas mudem, mas sempre digo que o que conta são os atos, não as palavras, e na verdade vejo que isso me sobrecarrega, todos os dias. "Mamãe, mamãe, mamãe, mamãe" o tempo todo. Pare com essa história de mamãe e me deixe em paz [risos]. Eu apenas me concentro no que está acontecendo e não no que acho que deva pensar do ponto de vista cultural e moral, na sorte que tenho e como tudo é...

Grace (mãe de dois filhos, um com idade entre 5 e 10 anos e outro com idade entre 10 e 15 anos)

Pois quer saber, eu abriria mão disso [risos]. Abriria mão inclusive dessa angústia. É essa intensidade de emoções. Quando penso no que ainda me aguarda... Certamente estaria disposta a abrir mão disso. Mas, claro, precisaria saber então o que sei hoje.

Edith (mãe de quatro filhos, dois com idades entre 25 e 30 anos e dois com idades entre 30 e 35 anos, e avó)

"Nem pensar", como dizem por aí. A não ser que eu tivesse terminado a faculdade de Medicina... *Talvez* então, se tivesse uma carreira e tudo mais. Mas acho que não. Para quê, se é uma completa perda de tempo? Completa. Quantos momentos agradáveis há? Há momentos agradáveis, é verdade, mas quantos em comparação com o que a maternidade exige?

Maya (mãe de dois filhos, um com idade entre 1 e 5 anos e outro com idade entre 5 e 10 anos e grávida na época da entrevista) respondeu antes mesmo que eu terminasse de fazer a pergunta

Eu não teria tido filhos.

Tirtza (mãe de dois filhos com idades entre 30 e 40 anos e avó)

Eu não acho que seja a pessoa adequada para ser mãe e lamento por... Toda vez que converso com minhas amigas, digo a elas que, se tivesse o conhecimento e a experiência que tenho hoje, não teria criado nem um quarto de um filho. O mais doloroso para mim é que não posso voltar no tempo. É impossível. Irreparável.

Além dessas respostas definitivas, dadas por vezes antes mesmo de eu terminar de formular a pergunta, várias das mulheres passaram um tempo maior deliberando sobre o que dizer porque tiveram dificuldade de responder a uma pergunta teórica sobre uma situação imaginária, ainda mais porque o ambiente em que vivem as induz de maneira inata e inequívoca a desejar a maternidade e, portanto, é muito provável que isso lhes causasse grande pesar. Por esse motivo, essas mulheres acreditam que, se voltassem no tempo sem o conhecimento e a experiência que têm agora, poderiam ter feito exatamente a mesma escolha a fim de evitar uma angústia e um arrependimento futuros, mas, como têm conhecimento e experiência pessoal, suas respostas foram as seguintes:

Grace (mãe de dois filhos, um com idade entre 5 e 10 anos e um com idade entre 10 e 15 anos)

Novamente, um dos fatores é que não tínhamos o conhecimento que temos hoje. Eu *sei* que se estivesse naquela situação, passaria o resto da vida me arrependendo de não ter tido filhos. Porque *não* avançamos na direção oposta, a vida é assim. Mas, *se* Yuval e eu *soubéssemos* o que sabemos hoje, então... acho que poderíamos ter tido uma vida excelente.

Sophia (mãe de dois filhos com idades entre 1 e 5 anos)

Eu achava que queria ser mãe, mas não queria. Talvez eu ache que quero ser como outras pessoas do fórum [o fórum israelense da internet "Escolher uma vida sem filhos"], e não sou. É muito difícil saber até estar naquela posição, muito difícil saber como eu reagiria... e não dá para fazer um teste.

Rose (mãe de dois filhos, um com idade entre 5 e 10 anos e um com idade entre 10 e 15 anos)

É muito difícil, para mim, responder a essa pergunta, porque eu não teria chegado a essas conclusões se não tivesse tido filhos. Mas, se eu soubesse o que sei hoje (é difícil, para mim, escrever isso, porque é como renunciar aos meus filhos, a uma parte de mim), mas... se tivesse essa informação e um ambiente de apoio que aceitasse esse tipo de decisão, eu não teria tido filhos.

Jackie (mãe de três filhos, um com idade entre 1 e 5 anos e dois com idades entre 5 e 10 anos)

Jackie: Vou lhe dizer mais, e pode ser que esteja me contradizendo agora: se eu pudesse voltar no tempo e não pudesse ver o futuro, talvez tivesse feito exatamente o mesmo, porque continuaria querendo ter filhos. Mas, se alguém tivesse me mostrado, eu não teria. Não teria. Definitivamente não. E até...

Eu: E até o quê?...

Jackie [respira fundo]: Eu já lhe disse. Eu apagaria essa parte da minha vida se pudesse. [...] Digo a mim mesma que gostaria de poder acordar um dia e descobrir que eles desapareceram. É algo que eu realmente... Sei que não é uma coisa muito agradável de se dizer, mas... [...] depois que tive um colapso nervoso, me dei conta de que cometi um grande erro ao ter filhos. [...] Realmente lamento o que minha vida se tornou. É algo que... [faz uma longa pausa] Eu gostaria de poder voltar atrás e mudar as coisas.

Enquanto algumas mulheres consideraram que outros caminhos poderiam ter tomado no passado, outras responderam imaginando "a próxima vida", no futuro. Nina, por exemplo, avançou e retrocedeu durante a entrevista entre desejar estar livre das responsabilidades de sua maternidade em particular e saber que faria de novo, só que de outra maneira, em parte por se ver como uma pessoa que prefere ser normativa e que, portanto, teria dificuldade em desviar da norma, quer dizer, em não ser mãe. Não obstante, no final, para ela, a maternidade era uma experiência desnecessária:

Nina (mãe de dois filhos, um com idade entre 40 e 45 anos e um com idade entre 45 e 50 anos, e avó)

Nina: Eu sempre brinco a esse respeito com minha vizinha de baixo e digo que na próxima vida não vamos ter filhos [risos]. Vamos nos conhecer, não vamos ter filhos e vamos cuidar apenas uma da outra.

Eu: Quando você se tornou mãe?

Nina: Aos 27 anos. Me casei aos 24.

Eu: E se você voltasse a ter 27 anos com o conhecimento e a experiência que tem hoje?

Nina: Então teria filhos, mas com uma ordem de prioridades completamente diferente. Com outra ênfase, outras preocupações, uma maneira de ver as coisas completamente diferente. Quando olho para trás, vejo sem dúvida que me deixei levar pela vida e não estabeleci as regras nem o caminho que queria seguir. Fui arrastada. Apenas arrastada. [...] Não sei se teria coragem, coragem outra vez, não tenho a coragem necessária para fazer certas coisas... Se teria coragem de decidir ser diferente de todo mundo e não querer ter filhos conscientemente.

Eu: Como você concebe o fato de que, por um lado, se voltasse a ter 27 anos, teria filhos e, por outro, disse que na próxima vida não teria?

Nina: O que estou dizendo é que, se eu já tivesse essa maturidade e abertura em relação ao que é importante e como consegui-lo, seria diferente. Porque, de modo geral, as crianças são positivas, elas são realmente... pessoas positivas, boas, corretas etc. Pessoas de *yishuv* [assentamento nos subúrbios de Israel]. É isso.

Eu: Como é para você a fantasia de uma próxima vida sem filhos?

Nina: Uma fantasia de liberdade. Uma fantasia de liberdade, de ser responsável apenas por mim mesma, sem ter que me responsabilizar pelos outros. Não ter que me preocupar com ninguém mais, apenas que... o que eu faço seja certo, que não haja ninguém para culpar e nada do que reclamar. Porque, vou ser bem direta: já é demais para mim. Estou sem forças. Não tenho a energia física que essa ajuda constante requer, para uma vez por semana ficar com os filhos de um ou de outro. E tem o dinheiro também. Dinheiro. Se eu tivesse dinheiro. Isso mudaria *tudo*. Eu poderia ajudá-los a contratar uma babá ou ajudá-los financeiramente... mas, de novo, não paro de ver isso como uma responsabilidade minha, não consigo me libertar disso, com toda a lógica da ideia de que cheguei a uma idade em que deveriam me deixar em paz, é a minha vida, minha escolha... Ainda assim, sinto que é minha responsabilidade. Não que eu me sinta culpada. Digamos que não me culpo, embora ambos digam: "Se tivéssemos ouvido a mamãe, estaríamos em outra situação agora", ainda assim sinto que é minha responsabilidade ajudar para que pelo menos eles iniciem o próprio caminho mais cedo do que eu.

Eu: Por que você acha que sua amiga, que entrevistei para esse estudo, me disse: "Você tem que falar com a Nina. Se esse é o tema da sua pesquisa, você tem que falar com a Nina"?

Nina [rindo]: Porque estamos sempre dizendo que não é necessário ter filhos. Filhos são desnecessários.

Os depoimentos de diferentes mulheres entrevistadas indicam que sua visão pessoal da maternidade difere do que em teoria deveriam pensar. Ao se arrependerem de ter filhos, elas imaginaram cenários alternativos que refutam a promessa de que, mais cedo ou mais tarde, toda mãe vai desenvolver um apreço pela maternidade. No caso de todas elas, não se cumpriu a promessa social de que toda mãe vai reorientar seu mundo sentimental para alinhar-se e avançar com a flecha do tempo rumo ao afeto, que lhe proporcionará uma adaptação confortável à experiência materna, sem querer anulá-la ou voltar no tempo.

Enquanto no estudo de Nikki Shelton e Sally Johnson a esperança de um "final feliz" é expressa por mães que enfrentam dificuldades e ambivalência em sua maternidade, mas que com suas palavras sinalizavam na direção de um ponto final no qual encontrariam uma identidade maternal integradora, as mulheres que participaram do meu estudo imaginam cenários em seu passado, em seu futuro e em uma próxima vida a fim de refletir sobre a experiência presente da maternidade – uma experiência que consideram incômoda e cuja previsão é de que seja continuamente assim. Mesmo que algumas ainda esperem sentir algum alívio no futuro, a maioria de seus testemunhos omite a evolução prevista na direção de algo melhor. Assim, quer sejam mães há menos de dez anos, quer o sejam há mais de duas ou três décadas, a promessa de chegada ao destino, ou seja, de se sentir à vontade com a maternidade, ainda não se realizou nem se espera que se realize. As experiências pessoais de mães de carne e osso apresentam como falso o mito de uma evolução direta e garantida na direção de algo melhor, e, portanto, seu arrependimento mina as expectativas da sociedade.

Arrepender-se da maternidade, mas não dos filhos

Durante as entrevistas, a maioria das mulheres enfatizou a diferença entre os filhos e a maternidade em si. Essa distinção entre os sentimentos em relação à maternidade e a transição para ela, por um lado, e os sentimentos em relação aos filhos, por outro, já foi documentada em meados da década de 1970, na obra de Jesse Bernard, na qual ela se referiu a mães de classe média e da classe trabalhadora que "se atreviam" a admitir que amavam os filhos mas detestavam a maternidade.[23] No caso das mães que participaram do meu estudo, a distinção as ajudou a esclarecer do que se arrependiam e do que não se arrependiam. Enquanto expressavam seus conflitos emocionais, insistiam que esse arrependimento era completamente independente do objeto da maternidade em si, seus filhos:

> Charlotte (mãe de dois filhos, um com idade entre 10 e 15 anos e um com idade entre 15 e 20 anos)
>
> Veja, é complicado, porque me arrependo de ser mãe, mas não me arrependo dos meus filhos, de quem são, de sua personalidade. Como pessoas, eu os adoro. Mesmo tendo me casado com aquele imbecil, não me arrependo, porque, se tivesse me casado com outro, teria outros filhos, e eu amo meus filhos, então é realmente paradoxal. Eu me arrependo de ter tido filhos e de ser mãe, mas amo os filhos que tenho. Então, sim, não é algo que se possa explicar realmente. Porque, se eu me arrependesse, então não quereria que eles estivessem aqui. Mas eu não ia querer que eles não estivessem aqui, só não quero ser mãe.

Doreen (mãe de três filhos com idades entre 5 e 10 anos)

É difícil, para mim, dizer isto, porque os amo. Muito. Mas abriria mão de tê-los... Durante muito tempo, me tratei com um psicólogo. E é curioso. Se tem uma coisa com a qual me sinto profundamente à vontade é isto. Os sentimentos. O processo de me tornar mãe não é confortável para mim, mas me sinto completamente à vontade com o que estou dizendo. E com a dicotomia de pensar, bem, tenho filhos e os amo, mas estaria disposta a renunciar a eles. Então, respondendo a sua pergunta, se eu pudesse fazer uma escolha diferente, eu faria.

Liz (mãe de um filho com idade entre 1 e 5 anos)

O arrependimento, a propósito, é em relação à maternidade e não em relação à existência do meu filho em si. É uma distinção que me parece muito importante fazer. Eu tenho um filho *incrível*, maravilhoso. Por sorte, ele é assim por causa da minha dificuldade de ser mãe, porque se não fosse tão maravilhoso quanto é – e a minha maternidade provavelmente contribuiu para isso, porque ele não tem escolha além de ser maravilhoso –, ou digamos que ele, Deus me livre, tivesse necessidades especiais ou qualquer coisa além do básico, que já é bem complicado para mim, seria muito difícil.

Então faço a distinção porque me parece muito importante. Ele é uma pessoa encantadora, quanto mais o conheço e quanto mais conheço sua visão do mundo, e quem ele é – ele tem opiniões firmes sobre tudo, e fico admirada com sua firmeza ao expressá-las –, mais amo meu filho, mas... é uma distinção muito artificial. Não posso dizer, a respeito de uma pessoa que existe, que de fato amo muito e a quem sou muito ligada, que lamento por ela ter nascido. Não lamento por ele estar aqui. O arrependimento é em relação ao aspecto da maternidade, ao fato de que cheguei até ela vindo de... Eu não sentia essa necessidade, mas foi realmente uma decisão racional, e hoje me parece que, levando em consideração todos os desafios de ser pai ou mãe, uma pessoa só deveria [ter filhos] se *sentisse* bem lá no fundo esse *desejo* – esse me parece um ponto de partida melhor.

Carmel (mãe de um filho com idade entre 15 e 20 anos)

Eu o *amo demais*. É uma criança incrível, embora não seja uma criança nada fácil. Tive problemas com ele desde o dia que nasceu até hoje, e *sempre* vou ter. Mas temos uma relação *fantástica*, somos muito próximos, e ele é um filho *maravilhoso*. Não tem nada a ver com isso. Não tem *nenhuma* relação.

Debra (mãe de dois filhos com idades entre 10 e 15 anos)

Preciso dizer: meus filhos são *maravilhosos*. Não são apenas filhos maravilhosos, são *pessoas* incríveis. Vejo neles um extraordinário potencial humano. São pessoas encantadoras, talentosas, bonitas, boas – não tem nada a ver com isso. É que não é onde quero estar. [...] Acho que, para mim, ser mãe não foi a escolha certa. Para mim, ser mãe não é a opção racional, apropriada, e não porque eu não seja capaz de ser mãe, mas porque não tem a ver comigo. Não é parte da minha identidade. Se você me perguntar quem é Debra, não vou responder que é uma mãe. Digo muitas outras coisas antes de mencionar a maternidade. Normalmente, eu não menciono de início que tenho filhos. É *inevitável* que eu acabe mencionando isso *em algum momento*, mas não é automático. Isso não me define como pessoa, eu não me vejo como Debra, mãe e mulher etc. Não. Debra é uma executiva, Debra é culta, Debra é americana-israelense, Debra é esposa, Debra é uma pensadora, Debra é laica – e depois de todas essas coisas, surge o fato de que Debra também é mãe. Com uma espécie de pedido de desculpas parcial. Então, nesse sentido, existe arrependimento. Porque, na minha vida e na minha atividade diária, estou em um lugar que não combina comigo. Mas não me arrependo de ter filhos, porque botei no mundo dois filhos incríveis e maravilhosos. São *pessoas incríveis, pessoas maravilhosas*.

A distinção que as mulheres faziam para esclarecer que se arrependiam da maternidade, mas não da existência de seus filhos no mundo, deixa em evidência o fato de que se referem a seus filhos como seres humanos distintos delas mesmas, que têm o direito de viver, embora ao mesmo tempo se arrependam do fato de serem suas mães, responsáveis por suas vidas.

Portanto, embora esteja claro que ansiar pela não maternidade inclui a não existência dos filhos em geral, desejar não ser mãe não implica necessariamente desejar eliminar os filhos em particular, que nasceram como seres humanos com direitos próprios. A distinção busca, por conseguinte, cortar, mesmo que apenas por um momento, o cordão umbilical imaginário entre os membros de uma família e permite que mães e filhos tenham uma relação além da posição que ocupam na família.

No entanto, essa busca muitas vezes é considerada impossível. Uma mãe é uma mãe, sempre tem que agir como mãe e nunca pode escapar de sua identidade como tal.

Uma das fontes dessa crença fundamental é a filosofia de Sigmund Freud, que se estendeu para além das clínicas de terapia ao longo do século XX. Os estudos de Freud não apenas afirmam que a mãe não é uma pessoa por si só, mas também sustentam de maneira explícita que não há nada que ela possa fazer a respeito. A mãe sempre foi apresentada em seus estudos como uma função para um terceiro, e sua própria experiência na relação com os filhos era omitida. Essa subvalorização das mães, além de se atribuir a elas e à função da maternidade um papel central e essencial no desenvolvimento emocional humano, colocou-as em segundo plano, como algo que ao mesmo tempo existe e não existe.[24]

Por conseguinte, insistir na diferença entre se arrepender da maternidade e se arrepender de trazer ao mundo os próprios filhos não diz respeito apenas ao arrependimento: dá forma à luta fundamental das mulheres para se separar da função que lhes foi atribuída, a fim de serem consideradas sujeitos dotados de individualidade.

Essa demanda não é exclusiva das mães arrependidas: durante muitas décadas, escritores e eruditos tentaram pavimentar o caminho para que as mães fossem vistas como pessoas, capazes de se deixar levar por suas emoções, analisando sentimentos e interpretando seu significado, sem se assimilar à vida dos outros a ponto de perder a identidade. Trata-se de uma empreitada difícil em uma realidade social na qual diversas mães vivenciam o parto e o processo de se tornarem mães como uma crise de identidade fundamental e catalisadora,[25] pois se exige que elas se desvaneçam: "Apesar de intelectualmente ter consciência dessa expectativa social, eu acho que naquela época, nos primeiros dias depois de dar à luz, me dei conta de que, dali em diante, esperava-se que eu, uma pessoa com minhas dores, sentimentos, desejos e aspirações, me colocasse de lado por um período ilimitado, desvanecendo até desaparecer."[26]

As narrativas de arrependimento podem, desse modo, ser vistas como peças adicionais desse quebra-cabeça.

Momentos de tomada de consciência

A compreensão de que não era dos filhos que se arrependiam ficava ainda mais explícita quando as mulheres falavam do momento em que se deram conta e sentiram que a maternidade foi, para elas, um erro. Esse momento não necessariamente tem início, meio e fim claros, mas ainda assim é relembrado como um momento de lúcida compreensão emocional mediante o qual concebem sua visão pessoal da maternidade.

Enquanto algumas mulheres só chegam a esse estágio anos depois do nascimento dos filhos, outras se dão conta disso ainda na gravidez e no pós-parto. Assim, antes mesmo de conhecerem os filhos que iam colocar no mundo – sua personalidade e que tipo de criação iam demandar –, elas se sentiam arrependidas.

Odelya (mãe de um filho com idade entre 1 e 5 anos)

Odelya: Já durante a gravidez eu senti arrependimento. Entendi que o que estava prestes a acontecer – o nascimento daquela criatura – não era... não era... algo com o que eu ia me conectar, eu estaria fora de lugar. Vi que tinha sido um erro, sim... Algo supérfluo. Totalmente supérfluo para mim. Eu teria renunciado a isso.

Eu: Você consegue lembrar o que fez com que se sentisse assim antes do parto?

Odelya: Eu entendi que não importava se ele ia chorar e eu ia me irritar ou não, ou tolerar isso ou não – na verdade, era mais a questão de ter que abrir mão da minha vida. No que me diz respeito, era uma renúncia grande demais.

Helen (mãe de dois filhos com idades entre 15 e 20 anos)

Eu: Você se lembra de quando se deu conta?

Helen: Desde o primeiro momento. *Imediatamente.*

Eu: O que aconteceu?

Helen: Hum... Veja bem, ficou claro que *tecnicamente* aquilo ia ser fácil para mim. Estava claro que tecnicamente, fisicamente, eu não teria problemas. Mas logo vi... Não sei como explicar... Antes mesmo de eles nascerem, eu já sabia... É como... Não que eu visse... Eu não queria ter filhos, e era como se eu soubesse por que... Como se essa fosse a razão, mas é só quando as coisas acontecem que tudo se encaixa, e só então que você compreende. Desde o momento que seu filho nasce, você compreende... *Mesmo antes disso,* você sabe... quem quer que seja... é óbvio. Simplesmente óbvio. Porque tecnicamente... É como se, antes de ele nascer, eu soubesse que... que era algo que eu não... não sei, eu soube de imediato...

Sophia (mãe de dois filhos com idades entre 1 e 5 anos)

Depois do parto, senti que tinha cometido um grande erro. Eu tinha pensamentos obsessivos, que se repetiam constantemente: "Você cometeu um erro, agora vai ter que pagar por ele. Você cometeu um erro, agora vai ter que pagar por ele." Então por que cometi esse erro? Por que fiz isso? O que havia de tão ruim antes?

Tirtza (mãe de dois filhos com idades entre 30 e 40 anos e avó)

Eu: Você consegue se lembrar de quando sentiu e/ou se deu conta de que se arrependia de ser mãe?

Tirtza: Acho que foi logo nas primeiras semanas depois que o bebê nasceu. Eu dizia que era uma catástrofe. Uma catástrofe. Percebi de imediato que aquilo não era para mim. E não apenas que não era para mim, e sim que era o pesadelo da minha vida.

Carmel (mãe de um filho com idade entre 15 e 20 anos)

Carmel: Posso dizer que senti pânico *no dia* em que saí da maternidade com ele nos braços. Naquele dia, comecei a entender o que tinha feito, algo que foi se intensificando ao longo dos anos. [...] Eu lembro que, no dia em que saí com ele do hospital e o levei para casa – e eu não tive depressão pós-parto nem nada disso –, entrei no apartamento e tive uma crise de ansiedade, a *única* que tive na vida. Eu lembro que passei uma semana inteira apenas querendo levá-lo de volta para o hospital. Inventei... Tentei convencer as pessoas de que ele estava doente, que precisava ser levado para o hospital. Já estava acontecendo *nessa época*. Achei que era o pânico do começo ou algo assim, mas essa sensação sempre persistiu.

Eu: O que você acha que percebeu naquele momento?

Carmel: Que é irreversível [longos minutos de silêncio]. Veja, é uma escravidão. Uma escravidão, um peso.

À primeira vista, a angústia e a ansiedade que acompanham o parto poderiam muito bem ser interpretadas como sintomas de depressão pós-parto ou esgotamento. Há atualmente duas tentativas de explicar a depressão pós-parto: a primeira é uma visão médico-psicológica focada nos aspectos fisiológicos e hormonais e nos desequilíbrios que conduzem à tristeza ou à depressão. Ela descreve o mundo emocional das mães como um espaço individual e privado e utiliza conceitos e termos psicanalíticos de acordo com os quais há experiências traumáticas na infância, como ter sido criada por uma mãe disfuncional, que também podem explicar a depressão pós-parto, assim como as expectativas irreais que as mulheres têm em relação à experiência do parto e da maternidade.[27]

A segunda explicação é um modelo feminista que identifica esses sentimentos como reações lógicas às mudanças que a transição para a maternidade implica, seja em relação ao contexto médico do parto, seja em relação ao contexto familiar e doméstico dos cuidados com o bebê em casa. Isso significa que, por vezes, os sentimentos ambivalentes que surgem depois do parto não estão necessariamente relacionados com o parto em si, mas sim com as dificuldades nas relações conjugais que o cercam e com o fato de que ele pode servir de gatilho para tensões preexistentes relacionadas com as circunstâncias familiares e/ou problemas socioeconômicos.[28]

Mas, enquanto a explicação estritamente médica não leva em consideração que as dificuldades em torno da maternidade podem algumas vezes ter origem nas expectativas irrealistas da própria mãe ou impostas pela sociedade, colocar o foco diretamente na mãe como indivíduo nos permite identificar certos desafios que costumam ser enfrentados pelas pessoas de maneira geral quando passam a ser progenitores – incluindo, por exemplo, os homens que se tornam pais e os pais e mães adotivos.[29] O ponto de partida em ambos os casos, no entanto, é que as mães desejam a maternidade apesar da depressão pós-parto, sem levar em consideração que, para algumas delas, a história pode ser diferente. Assim, apesar do fato de muitas mulheres vivenciarem a depressão pós-parto durante os dias, meses e algumas vezes até mesmo anos posteriores ao nascimento dos filhos, isso não necessariamente oferece a explicação adequada para as dificuldades que afetam cada mulher, e é possível, inclusive, que esteja ignorando o que as próprias mulheres dizem.

Debra (mãe de dois filhos com idades entre 10 e 15 anos)

Eu não me via como uma pessoa deprimida, mas estava muito claro para mim que aquilo era algo que eu não queria. Eu não descobri isso depois do parto, já sabia antes. Então não foi nenhuma novidade para mim.

Doreen (mãe de três filhos com idades entre 5 e 10 anos)

O tempo todo eu tinha a sensação de que aquilo me cercava, e isso porque eu não tive depressão pós-parto e correu tudo bem. É só que hoje eu compreendo – eu não queria. Simples assim. Mas, você sabe, leva um tempo para as coisas amadurecerem no ambiente em que crescemos. Totalmente. [...] Veja como o corpo e a mente são... eles sabem. Não tenho problemas de fertilidade, e meus três filhos, ou melhor, as duas gravidezes foram por meio de tratamentos de fertilidade. Porque eu simplesmente não engravidava. Porque, na verdade, eu não queria. Simples assim. E isso é incrível. Incrível. Eu simplesmente não queria.

Parece que diversas mulheres que se arrependem de ser mães estão tentando infringir as regras quando dizem que, às vezes, a crise não é periódica, específica, hormonal, psicológica ou estritamente relacionada com circunstâncias socioeconômicas e familiares. Elas tornam a terapia e os diagnósticos clínico e social insuficientes e deixam claro que essas afirmações reduzem o espectro da experiência das mães e as impedem de falar sobre o arrependimento, uma explicação que se torna o único ponto de apoio possível.

Embora não seja o caso de todas as mães que sofrem de transtornos após o parto, pode pelo menos ser mais uma resposta possível. Várias das mulheres que participaram do estudo, algumas das quais agora têm filhos adolescentes, na casa dos 20, 30 e 40 anos e são avós, demandam que uma interpretação social alternativa seja acrescentada à lista de explicações aplicadas à experiência das mães na gravidez e no pós-parto, uma alternativa na qual caibam as palavras "Eu não quero."

Brenda (mãe de três filhos com idades entre 20 e 25 anos)

Logo após o nascimento dos meus filhos, depois de cerca de seis meses, comecei a compreender a furada na qual tinha me metido. [...] Quando vi as noites se tornarem dias e me perdi na busca desesperada pela "felicidade, satisfação e renascimento" de que todos falavam, [quando] não consegui encontrar nem um vestígio desses sentimentos, pensei: ou há algo de anormal comigo, [porque] meus pensamentos não chegavam nem perto dessas descrições de prazer, ou todas as outras têm um mecanismo de negação extremamente avançado e estão na mesma situação que eu, mas não ousam dizer uma palavra.

Jasmine (mãe de um filho com idade entre 1 e 5 anos)

Jasmine: Enquanto eu estava em casa em licença-maternidade, aproveitei muito ele. Também é uma idade em que os bebês não precisam de muita coisa. Ele dormia, comia e fazia cocô. Eu assistia a Hop Horim ["Oba, pais", um programa de TV israelense], aprendia, era divertido, foi como ter um semestre de férias. Mas então os problemas começaram. Quando voltei a trabalhar e comecei a sentir que precisava do meu tempo, meu.

Eu: Foi um momento de tomada de consciência?

Jasmine: Sim. Sim. Foi difícil, para mim, concluir que eu preferia uma vida sem filhos. Era algo muito distante daquele sentimento do começo, mas, como disse, eu realmente me punia por esses sentimentos, não sabia o que havia de errado comigo.

Liz (mãe de um filho com idade entre 1 e 5 anos)

Eu: Quando você se deu conta e sentiu que se arrependeu?

Liz: Olha, não acho que tenha sido um momento específico, mas a questão é que houve muitas dificuldades no começo porque eu estava completamente perdida, não entendia nada, e via diversas circunstâncias objetivas da minha vida viradas de ponta-cabeça, e não parava de dizer: "Tudo bem, é temporário." Então um ano se passou, dois anos se passaram, e as pessoas continuavam a dizer: "É tudo temporário." Ah, sabe, eu na verdade lembro sim, vou lhe contar... Houve um momento determinado. Houve... Então logo vieram as cólicas, fases em que eu não dormia, e as pessoas à minha volta diziam: "Tudo bem, em alguns meses tudo vai mudar, você vai ver a luz, e vai ficar tudo bem." Mas os meses se passavam, e nada. Então falei com uma amiga, que me disse: "Ouça: aos três meses, são cólicas; com um ano, os dentes; depois vêm a adolescência e o exército. Você tem um filho, *mazal-tov*. Não vai mudar. Cada idade tem suas próprias questões e desafios, não adianta ficar sentada esperando que as coisas mudem." Foi então que eu acho que caiu a ficha. A conversa com ela me deixou deprimida, e de repente... eu me senti muito mal. Foi então, acho. Estou me lembrando disso só agora porque eu não... de repente, entendi. É isso. É claro que é um golpe duro. É claro.

Ao buscar o significado de seus sentimentos, muitas mulheres descrevem uma "experiência de choque", usando a "retórica do choque" para explicar a "recepção" emocional que tiveram nas primeiras semanas e meses da maternidade. Essa experiência pode muito bem ser consequência de uma preparação insuficiente, assim como do apoio insuficiente durante a primeira fase da maternidade.

Sunny (mãe de quatro filhos, dois com idades entre 5 e 10 anos e dois com idades entre 10 e 15 anos)

Eu não sabia o que significava ter filhos e não sei se a maioria das pessoas hoje sabe. Não venho de um lar religioso, fui criada em um ambiente laico. Eu não entendia o que ter um filho envolvia; se eu estivesse preparada, minha abordagem talvez tivesse sido diferente. Uma mulher criada em um lar religioso segue passos com os quais já está familiarizada, mas eu, que vinha de um mundo laico – embora tenha me tornado religiosa –, achava que estava pronta para ter uma família porque tinha muita experiência de vida, porque estava tranquila na época. Já tinha aproveitado, por assim dizer. Então achei que seria bom ter filhos, seria como expandir meu amor em casa. Tenho um marido e algumas outras pessoas que me amam, e é só isso que me importa. Eu não sabia o que significava ter filhos. [...] Não sabia o que implicava, no fim das contas. Agora, vejo mulheres solteiras com mais de 30 anos que têm tanto entendimento e tanta informação a respeito do que é a maternidade, que desejaria estar no lugar delas. Realmente tenho inveja delas.

Ao contrário dessa sensação de choque devida à falta de preparação para a maternidade descrita por Sunny, e ao contrário da promessa social que garante que a passagem do tempo vai trazer alívio, ao menos pelo fato de se deixar a primeira infância para trás e da maturidade e da menor dependência da mãe ("Está tudo bem, em alguns meses tudo vai mudar, você vai ver a luz, e tudo vai ficar bem"), Liz vê uma trajetória completamente diferente para si mesma, um futuro de estagnação. Enquanto a criança passará por uma série de estágios previstos em seu percurso de vida ("Aos três meses são as cólicas; com um ano, são os dentes; depois vêm a adolescência e o exército"), sua mãe, Liz, verá a si mesma como alguém continuamente orientada na mesma direção, presa à mesma experiência emocional cada vez mais difícil no tempo e no espaço em contraponto com o contexto de desenvolvimento da vida de seu filho.

Embora possivelmente muitas mães enfrentem diferentes desafios no primeiro período após o parto (que, no fim das contas, podem ser aliviados por uma evolução para melhor), o arrependimento descreve uma postura emocional em relação à maternidade que não muda nem melhora com o passar do tempo.

Diante da falta de outras formas de pensar sobre a maternidade para além da promessa de um fim satisfatório, outras mães tentam abrir caminho tendo como ponto de apoio explicações variadas para seus sentimentos – seja duvidando de sua sanidade, seja pressupondo que outros pais e mães participam coletivamente de uma conspiração de silêncio. A consciência de que o que sentiam era arrependimento pode ter se dado em um estágio posterior, mas a inquietação em si começou a se manifestar vários meses depois do parto. Para outras, foi se desenvolvendo ao longo dos anos, algumas vezes depois do segundo ou do terceiro filho.

Rose (mãe de dois filhos, um com idade entre 5 e 10 anos e outro com idade entre 10 e 15 anos)

Eu: Você se lembra do "momento" em que se deu conta de que se sentia assim em relação à maternidade?

Rose: Só depois de ter o segundo filho. Depois do primeiro, entendi que a relação do casal nunca mais ia ser a mesma, que daquele momento em diante eu teria que cuidar de outro ser humano além de mim, que minha vida tinha mudado para sempre. Depois do segundo filho, finalmente compreendi que aquilo não era para mim. Deixe- -me explicar: depois do primeiro, eu achava que havia alguma coisa errada comigo, que eu não estava preparada, que precisava de ajuda psicológica. Então fiz terapia e enfrentei os pontos dolorosos dentro de mim, mas não cheguei à verdadeira fonte do problema, o fato de que era contra a maternidade que eu estava lutando. Achei que o segundo filho ia ser uma experiência corretiva, que agora que tinha amadurecido e feito terapia e que tinha ao meu redor pessoas sensí- veis, especialmente meu marido, e que me apoiavam, eu conseguiria fazer as coisas de outra forma. Eu não entendia que o problema não estava em mim, mas na decisão de ser mãe.

Sky (mãe de três filhos, dois com idades entre 15 e 20 anos e um com idade entre 20 e 25 anos)

Todas essas coisas que estou lhe dizendo, todo esse entendimento do qual hoje lanço mão para explicar muito bem por que fiz isso, são coi- sas que só entendi quando tinha 35 ou 40 anos, na terapia. Até então, eu era uma menina que não entendia nada, nada. Eu me ressentia, me sentia desconfortável. Ficava muito nervosa e estressada, mas não sabia de onde isso vinha e sempre dizia que estava tudo bem, que devia haver alguma coisa errada comigo, mas não... As coisas são como são. É essa a situação. Só comecei a entender depois que fui fazer terapia.

[...] A verdade é que durante os anos de terapia eu realmente tinha esperanças de que algo fosse mudar em mim e que eu fosse me tornar capaz de me conectar com meus filhos e sentir que eles eram parte de mim, que seria algo natural, como deve ser. Ou seja, que eu ia poder me divertir com meus filhos, sentir falta deles e querer vê-los, e poderia me dedicar a eles... da maneira mais natural possível. [...] Acho que depois de menos de um ano de terapia eu entendi que... que foi um erro trágico da minha parte. Só então me dei conta. [...] Também foi muito, muito difícil para mim fazer terapia. No começo, foi muito difícil admitir. Sabe, no começo da terapia também, eu estava sempre tentando me proteger.

Cada uma das mulheres toma uma medida diferente na esperança de diminuir a discrepância entre o que sentem realmente e o que sabem que deveriam sentir, e colocar em sintonia aspirações e realidade: Rose, por exemplo, teve outro filho, desejando que isso modificasse e corrigisse a situação. Outras mães, como Sky, recorreram ao tratamento psicológico para investigar "o que havia de errado com elas".

Para essas mulheres, a crise não era necessariamente uma crise de desenvolvimento, daquelas que fazem como "amadureçamos em questão de horas", mas sim uma crise que emergiu da incapacidade de reconhecer que ser mãe tinha sido um erro, de reconhecer sentimentos que não tinham lugar no mundo nem palavras com as quais expressá-los.

Maya (mãe de dois filhos, um com idade entre 1 e 5 anos e outro com idade entre 5 e 10 anos, e grávida na época da entrevista)

Maya: Veja bem, essas são coisas sobre as quais é preciso pensar muito antes de entendê-las – e só recentemente essas coisas se encaixaram para mim, e posso dizer que seu artigo* esclareceu as minhas dúvidas. Havia coisas nas quais eu não parava de pensar, e o artigo completou a história para mim. Agora sei o que sinto. Não há a mesma confusão, não há mais especulação, não há mais dúvidas – eu já sei o que sinto, sei identificar exatamente.

Eu: Quer dizer que, na sua perspectiva, o artigo "deu um nome" ao que você sente?

Maya: *É exatamente isso. Exatamente isso.* Porque... no começo eu tinha todas essas... Antes de ler o artigo, tive uma conversa com uma amiga, e foi a primeira vez que eu expressei meus sentimentos e ainda não tinha aceitado o fato de ter feito isso. Depois que disse fiquei assustada e voltei atrás nesse processo de autoconhecimento pelo qual estou passando. Mas quando li o artigo, ficou claro para mim.

No que diz respeito ao campo da sexualidade, a feminista americana Catharine MacKinnon afirmou que as mulheres não apenas se veem privadas de sua experiência particular, mas também das condições necessárias para observá-la. As palavras de Rose, Sky e Maya apontam para uma esfera adicional e central na vida das mulheres na qual podem estar faltando os termos necessários para sua investigação: a maternidade. Quando não há espaço para expressar o arrependimento da maternidade, existe apenas uma explicação para as emoções turbulentas em relação ao assunto: que o problema tem raiz na própria mãe-mulher, e, portanto, as mulheres que se arrependem de

---

* Em uma fase inicial do estudo, fui abordada por um dos jornais de maior circulação de Israel, que me propôs escrever um artigo sobre os "bastidores" de um estudo que trata de uma postura emocional considerada tabu. O artigo foi publicado em junho de 2009, e após a sua publicação fui abordada por diversas mulheres que se arrependiam de ter se tornado mães; Maya era uma delas.

ser mães devem recorrer à terapia para tentar resolver a inquietude que caracteriza sua maternidade.

Como o momento de tomada de consciência do arrependimento difere de mãe para mãe, a explicação de que elas se desviaram do rumo não tem fundamento. Os relatos das mães arrependidas revelam que a maneira como elas vivenciam a maternidade depende, entre outras coisas, de sua própria capacidade de equilibrar as vantagens e desvantagens inerentes a ela. Se adotarmos a argumentação de Eva Illouz, que acredita que os sentimentos são um indicador que localiza o "ser" em inter-relações definidas e concretas e, assim, fornecem uma espécie de atalho para explicar como e onde estamos posicionados em determinadas situações,[30] podemos dizer que a conceitualização emocional do arrependimento em relação à maternidade de Rose, Maya e Sky – em retrospecto, anos depois do primeiro filho – acrescenta uma nova referência de localização no mapa das maternidades.

Vantagens e desvantagens da maternidade

Pode ser que haja mães que respondam com uma negativa à questão "Se você pudesse voltar no tempo...", mas ainda assim não considerem que sua posição seja a de quem se arrepende da maternidade; e outras mães podem responder a essa pergunta afirmativamente, por diversas razões, mas ainda assim se autoidentificarem como mulheres que se arrependem de ter filhos. Dessa forma, durante as entrevistas, me referi a outra dimensão do arrependimento – a da avaliação –, perguntando-lhes sobre os prós e contras da maternidade de acordo com suas experiências subjetivas enquanto observava em qual direção sua balança pendia.

As conclusões mostram que, para muitas mulheres, as vantagens da maternidade residem na ideia de que, ao se tornar mãe, elas se sentem maduras e demonstram uma capacidade moral de desenvolver relações sólidas com os filhos, que geram ordem na relação de uma mulher consigo mesma, com sua família, sua comunidade e seu país. Essa sensação de pertencer ao seu ambiente, a seus olhos, não seria possível sem a maternidade.

Debra (mãe de dois filhos com idades entre 10 e 15 anos)

Acho que as maiores vantagens têm a ver com viver na sociedade israelense. Ser marginalizado, não importa quais sejam os motivos, é difícil. Seja por escolha própria ou não. Ter filhos, mesmo que você seja um inconformista em todos os outros sentidos e esteja fora dos enquadramentos convencionais, faz com que se integre à corrente principal de um modo ou de outro e, em certa medida, deixa a sua vida mais simples.

É possível chamar isso de vantagem? Talvez. Porque você não precisa mais lutar em todas as frentes. Há uma na qual não precisa mais lutar. Você cumpriu seu papel, marcou as opções corretas e não está mais lutando no *front* da família, porque essas questões estão sempre pairando no ar na sociedade judaica e israelense – "Quando você vai ter filhos?" e "Um só não é suficiente" –, então nesse *front* você não precisa mais lutar, cumpriu seu papel. Não importa que em todos os outros aspectos você *não* tenha cumprido seu papel, nesse aspecto você fez o que tinha que fazer.

No que diz respeito às amizades também, ao contexto social. Ao longo dos anos, você entra e sai de grupos sociais – no começo podem ser seus amigos da escola, depois, seus amigos do exército, mais tarde, os amigos da faculdade, em seguida, os casais, e os casais se formam e na etapa seguinte têm *filhos*. O discurso habitual tem um novo foco: não é mais se você vai estudar na universidade, mas como está indo a gravidez e quais são os processos, e, logo, como a criança está se desenvolvendo, se começou a andar ou o que quer que seja. E quando não está nesse círculo social, você começa lentamente a perder o grupo ao qual pertence e a interação com ele. Não sou uma pessoa muito sociável, então suponho que isso não me incomodava muito, mas havia algo no ar, no fato de as pessoas à minha volta começarem a fazer parte desses grupos. [...] É como um bilhete de entrada na sociedade. Torna as coisas muito mais fáceis.

Brenda, por exemplo, reconhece as vantagens que outros associam à maternidade e as descreve como suas:

Brenda (mãe de três filhos com idades entre 20 e 25 anos)

Na minha opinião, ser mãe tem suas vantagens. Depois de dar à luz, você sente uma espécie de felicidade avassaladora. A proximidade e a intimidade com os filhos, a sensação de pertencimento, o orgulho que sente de si mesma, de ter transformado um sonho em realidade. É o sonho de outras pessoas, mas você o realizou.

Outras mulheres que participaram do estudo expressaram satisfação com a relação íntima que tinham consigo mesmas – uma relação que nasceu junto com seus filhos –, uma vez que se sentiam mais maduras, carinhosas, generosas, compassivas, pacientes e empáticas do que antes.

Doreen (mãe de três filhos com idades entre 5 e 10 anos)

Doreen: Sabe, há alguns poucos momentos de graça, algumas pequenas alegrias. É sério, é muito...

Eu: Como o quê, por exemplo?

Doreen: Hum... Como se de repente... Provavelmente porque eu... Não. Não sei. Na semana passada, por exemplo, Roi teve uma prova de estudos da Torá e quis que nós estudássemos juntos, então ficamos sentados por cerca de uma hora e meia, ele estudou, e nós meio que aprendemos juntos. Eu gostei, porque foi uma atividade madura, com substância. Foi bonito. Mesmo.

Eu: Você quer dizer que, para você, há alguma vantagem na maternidade?

Doreen [rindo]: *Uma vantagem na maternidade*? Vou lhe dizer uma coisa. Há várias vantagens. As vantagens são que ela faz com que uma pessoa se torne... [suspira] menos superficial. A maternidade me deu a capacidade de ver as coisas de uma maneira mais profunda. E não em termos de continuidade, não nesse sentido, e sim em um sentido de compaixão, compromisso, empatia, hum... autoconhecimento. O que ela *me proporciona* é o fato de me entregar por completo quando ninguém mais no mundo faria o mesmo. Você se torna outra pessoa. Acho que... pode ser, é divertido, mas poderia ser que... Não quero dizer que faz de você uma pessoa melhor, mas... uma pessoa mais tolerante. Algo assim.

Maya (mãe de dois filhos, um com idade entre 1 e 5 anos e outro com idade entre 5 e 10 anos, e grávida na época da entrevista)

Eu descobri uma coisa muito interessante, que, com todo o arrependimento e com todos os, digamos, sentimentos negativos que acompanham o processo de se tornar mãe e funcionar como mãe, descobri que isso me torna uma pessoa melhor. Porque sou obrigada a criar filhos com muito amor, crianças que vão espalhar amor e bondade, que vão se tornar boas pessoas, que enxergarão os demais – então tenho que servir de exemplo. E se vou ser um exemplo, não pode ser superficial, pelo menos não para mim. Então me vejo constantemente analisando a mim mesma e as coisas que de fato quero mudar a meu respeito, para poder passá-las adiante para os meus filhos. Porque as crianças não aprendem com o que você lhes ensina, mas com o que elas veem. Então, se eu me sentar para conversar com elas e explicar, não vai adiantar nada; elas vão aprender observando o meu comportamento e a minha conduta. Não posso dizer que seja um mar de rosas e que tudo funcione para mim, há momentos em que eu quebro a cara. Mas isso também me torna uma pessoa melhor.

Ou, nas palavras de Naomi: "É como se eu estivesse me recriando. É sem dúvida uma experiência poderosa."

No entanto, mesmo quando se referiam às vantagens, entremeavam os aspectos positivos da maternidade com o que consideravam aspectos negativos, mesmo quando a pergunta se referia apenas às vantagens.

Jackie (mãe de três filhos, um com idade entre 1 e 5 anos e dois com idades entre 5 e 10 anos)

Eu: Você acha que há vantagens na maternidade?

Jackie: Olha... Quando vejo minha filha pequena tão independente e falante, o fato de que ela se expressa e fica em pé com firmeza... Não posso dizer que não mexe comigo. E Ofek, que cresceu e se tornou um homenzinho... Há momentos. Mas não acho que esses momentos compensem tudo por que passamos. Mesmo que as pessoas digam que tudo pelo que você está passando vale a pena no momento em que seu filho a chama de mãe ou lhe dá um beijo.

Edith (mãe de quatro filhos, dois com idades entre 25 e 30 anos e dois com idades entre 30 e 35 anos, e avó)

Eu: Você acha que há vantagens na maternidade?

Edith: É claro, porque o amor de um filho é completamente diferente do amor de um homem. É um amor muito curioso. Quando eles são pequenos, é um amor incondicional, diferente de qualquer outro. Quando eles crescem, fica difícil. Eles querem independência, é complexo, diferente. Não há... É como... Real. Flui. Mas, às vezes, é como punhaladas no coração, e então... É claro que pode ser o contrário, igual, mas diferente. É terrivelmente doloroso.

No começo, você quer abraçá-los o tempo todo, há algo prazeroso, um vínculo verdadeiro. No começo, é um vínculo de verdade, talvez porque eles precisem de você. É o que acontece quando alguém precisa tanto assim de você. Mas eles tiram tudo. Eles tiram *tudo* de você.

Entretanto, além de apontar as vantagens, todas as mulheres que participaram do estudo se referiram repetidas vezes às desvantagens da maternidade de seu ponto de vista. Diversas delas mencionaram as desvantagens, destacando que não conseguiam encontrar nem uma vantagem sequer para si mesmas.

MÃES ARREPENDIDAS

Nina (mãe de dois filhos, um com idade entre 40 e 45 anos e outro com idade entre 45 e 50 anos, e avó)

Nina: Vantagens... [longo silêncio] Bem, eu... Que tipo de vantagem? Física?

Eu: O que você quiser.

Nina: Eu... Eu adoro abraçar. A coisa que mais se assemelha... como, hum... quando eu quis estudar, e o kibutz teve que decidir se me dava ou não sua aprovação, pedi para estudar puericultura. Mas vantagens... Talvez crie uma vida social dentro de um determinado grupo, por meio da escola, onde conhece mais... isso cria amigos, colegas. Mas vantagens? Não vejo que vantagens poderia haver. Simplesmente satisfaz o seu ego, e, no fundo, você se livra ter que se desculpar por escolher um caminho *muito* diferente. Ajuda a fazer você se sentir como todo mundo. Sim, eu sempre tive medo de ser diferente. De andar fora da linha. Mais uma vez, são medos, preocupações. Mas vantagens verdadeiras? Acho que não.

Liz (mãe de um filho com idade entre 1 e 5 anos)

Tenho que dizer que procuro as vantagens. Mas, além de ter um filho realmente adorável, não. Porque, em relação a todos os parâmetros de antes, me sinto muito pior do que me sentia. [...] Não, já tentei pensar profundamente sobre isso [risos]. Ainda não encontrei nenhuma vantagem, mas prometo contar se descobrir alguma.

Sky (mãe de três filhos, dois com idades entre 15 e 20 anos e um com idade entre 20 e 25 anos)

A verdade é que não consigo enxergar nenhuma vantagem. De verdade, *nada*. Acho que não há nenhuma... Pessoalmente, eu não... Não me identifico com nenhuma das coisas que as pessoas falam, não entendo a que se referem quando falam da próxima geração e de quando ficarmos velhos. Todas essas coisas não estão nem um pouco claras para mim. Não entendo o que as pessoas querem dizer quando falam sobre isso. Pessoalmente? Não. Para mim, é apenas um fardo insuportável. Não consigo relaxar... Quando as crianças estão aqui, não fico relaxada, quando não estão aqui, como agora, também não. Porque provavelmente vão voltar logo. Mas não é apenas o fato de voltarem logo, mas... a culpa constante que acompanha cada pequena coisa. É... não sei. Não consigo ver nenhuma... coisa boa que isso traga para a minha vida. Hoje é *completamente*, completamente claro para mim que, se eu pudesse optar, com o que sei hoje... se eu não tivesse filhos, minha vida seria muito melhor. Não tenho *nenhuma* dúvida. Quais vantagens pode haver na minha situação?

Quando perguntei sobre o saldo final das vantagens e desvantagens, a balança pendeu para o lado das desvantagens, uma vez que era um dos componentes de seu arrependimento.

Erika (mãe de quatro filhos com idades entre 30 e 40 anos e avó)

Para cada dia de felicidade, para cada momento de prazer, você tem que sofrer durante quantos anos? E às vezes o sofrimento não tem fim, ainda por cima. Lá está ela: a sensação de sofrimento interminável. Então o que há de bom?

Sunny (mãe de quatro filhos, dois com idades entre 5 e 10 anos e dois com idades entre 10 e 15 anos)

Sunny: Veja, meu investimento, de fato, deu frutos. Graças a Deus, deu muitos frutos, e faz tempo que comecei a desfrutar deles.

Eu: E, na sua opinião, os frutos não "valeram a pena"?

Sunny: O que significa "valer a pena"? Não sei. O que vale a pena? Não vejo o sentido na comparação. É como dizer que o sorriso de uma criança vale tudo. É bobagem. Não é verdade. Uma coisa não tem nada a ver com a outra – qual é a relação? É como pegar uma faca, cortar uma pessoa e em seguida sorrir para ela. O sorriso vale a pena? Não há nenhuma relação. Por que deveríamos sofrer por isso? Qual é a razão desse masoquismo? Tudo bem, o masoquismo pode se adequar a situações mais prazerosas. Qual é a relação? Não vejo nenhuma razão para sofrer pelo sorriso de um filho. Qualquer criança pode sorrir para você na rua, não é preciso passar pela gravidez, pelo parto, pelos pesadelos e por todo o resto. Não me identifico com essa insanidade.

Os aspectos da maternidade que valem a pena, assim como sua ausência, podem ser resultado da experiência pessoal das mulheres, produto de sua percepção, de seus valores, necessidades e circunstâncias, mas, ao mesmo tempo, seus relatos mencionam todas as vantagens que a sociedade prescreve para as mulheres a fim de persuadi-las a ser mães.

Portanto, da mesma maneira que as vantagens nas narrativas sobre a maternidade são com frequência atribuídas a uma feminilidade supostamente moral e madura, os relatos sobre a falta de vantagens também se baseiam nessas imagens sociais, uma vez que as mulheres têm em mente o que seu entorno lhes diz sobre o significado de ter filhos. Assim, apesar de uma das justificativas para ter filhos se originar da crença de que eles garantem uma "velhice digna" e vão se comprometer a cuidar dos pais, assim como da percepção de que eles são receptáculos de continuidade que exaltam legados individuais, muitas mães duvidam dessa ideia. Além disso, a maternidade como elas a experimentam pode envolver até mesmo essa falta de vantagens, deficiências que não veem motivos para passar adiante, como recursos econômicos insuficientes ou a ausência de um legado digno. Então, embora as mulheres rejeitem esses significados, por vezes até mesmo zombando deles, participaram ativamente na hora de determinar que a maternidade não traz vantagens para elas.

As entrevistas completas revelaram que as deliberações que abordavam e caracterizavam a maternidade como algo que não apresenta vantagens quase sempre se baseavam em concepções temporais e emocionais distintas das concepções hegemônicas, uma vez que não retratavam a maternidade como algo vantajoso no presente e, assim, não produziam uma narrativa de progresso linear em direção a uma percepção final da maternidade como algo vantajoso.

Dessa forma, percorrer este capítulo por meio dos relatos das entrevistadas deixa claro que, se as mulheres que se arrependem de ter tido filhos pudessem voltar a não ser mães de ninguém, tomariam uma decisão diferente com base no que sabem e sentem agora. Isso é parte do que constitui o arrependimento. Entretanto, abordar os diferentes significados sociais que são atribuídos ao arrependimento pode lançar luz sobre as dificuldades que as mulheres talvez enfrentem ao reconhecer que se sentem assim em uma sociedade que reprova quando se olha para trás com pesar, encarando isso como uma ameaça às ordens mundiais. Assim, não reconhecer a existência do arrependimento é algo que pode ocorrer não apenas porque lamentar ter filhos é considerado uma postura emocional que viola as regras do sentimento maternal, mas também porque o arrependimento é compreendido cultural e psicologicamente como algo por si só problemático, mesmo quando não tem relação com a maternidade. Devido a essa complexa "má reputação" do arrependimento, parece não haver muitas opções a não ser adotar a necessidade de chegar a um final feliz um dia ou outro, preferindo abster-se de se aprofundar em questões sobre "E se..." e "Quem me dera...".

4. Experiências de maternidade e práticas de arrependimento: Viver com um sentimento ilícito

"Eu chego do trabalho às cinco da tarde e não tenho muita energia. Eu quero... sei lá, me sentar e ler um livro. Ficar olhando para o teto e pensando, mas não posso. *É isso* que me frustra. E começa às duas da tarde, quando sei que em algumas horas vai começar minha segunda jornada. E então, o que faço, como passo o tempo; e se minha mãe não está comigo e estou sozinha com ele, sou *a única* lá para correr atrás dele, e isso me deixa *nervosa*. O tempo todo, o tempo todo. Travo uma luta diária com esses sentimentos."

Jasmine (mãe de um filho com idade entre 1 e 5 anos)

Como o arrependimento é uma postura emocional considerada objeto de descrença e supostamente patológica, as pessoas com frequência perguntam: "Por que, por que elas se arrependem?", enquanto supõem, aberta ou implicitamente, que deve haver uma catástrofe acontecendo em suas casas por trás das portas fechadas, pois não há nenhuma outra razão para se arrepender da maternidade.

Como vamos ver, essa suposição *a priori* carece de fundamento. As experiências de maternidade das mulheres que participaram deste estudo não são necessariamente excepcionais; além disso, estão intimamente relacionadas com vivências expostas diariamente por mães em diversos livros, redes sociais e blogs privados em todo o mundo. Suas experiências levam "simplesmente" a uma conclusão emocional distinta: "Foi um erro me tornar mãe."

Quem eu era e quem eu sou

Várias culturas acreditam que o nascimento e a morte se complementam e relacionam a fertilidade feminina com ambas as situações. Em um de seus livros, Naomi Wolf escreveu, por exemplo, que nossos antepassados viam uma mulher grávida como uma pessoa morta. Durante a gravidez, cavavam sua sepultura e, se ela sobrevivesse ao párto, colocavam a terra de volta. Quarenta dias após o nascimento, a cova era completamente fechada sem ela.[1]

Não obstante, mesmo quando não estamos lidando com uma agonia de verdade, parece que a maternidade tende a personificar uma morte; a morte do ser anterior e a criação de uma identidade distinta, separada da identidade anterior como mãe de ninguém.

O texto a seguir, de autoria de Luce Irigaray, embora escrito do ponto de vista de uma filha, pode ilustrar com perfeição a ligação entre dar à luz e morrer simbolicamente, assinalando o aparecimento de uma nova identidade, ou seja, uma "mãe de alguém": "E uma não se move sem a outra. Mas não nos movemos juntas. Enquanto uma de nós vem ao mundo, a outra desaparece debaixo da terra. Enquanto uma de nós carrega a vida, a outra morre. E o que eu queria de você, mãe, era isto: que ao me dar a vida, você continuasse vivendo."[2]

Muitas mulheres partilham dessa experiência profunda de perder a vida ao dar a vida, já que enfrentam a perda de sua experiência corporal, de suas paixões anteriores, a perda de características de suas relações amorosas e não amorosas anteriores, o fim de sua precedência no mundo, a perda de criatividade e até mesmo a perda de palavras: "Depois que me tornei mãe, pela primeira vez na vida me vi sem um idioma, sem uma forma de traduzir os sons que eu produzia em algo que as outras pessoas pudessem entender."[3]

Eis como Maya descreveu isso:

Maya (mãe de dois filhos, um com idade entre 1 e 5 anos e outro com idade entre 5 e 10 anos, e grávida na época da entrevista)

Valorizo os esforços que estou fazendo, mas isso me consume, esgota minhas energias, exaure meu corpo, minha mente e minha alma, não há lugar para mais nada. Eu costumava escrever, esculpir, desenhar. Eu adorava criar. Não restou nada disso; não tenho nada, porque não tenho inspiração nem força.

Como mencionado antes, este livro não contém todas as entrevistas que fiz, pois em diversas ocasiões me encontrei com mulheres que consideravam a maternidade extremamente difícil, mas não se arrependiam dela. Rotem, por exemplo, não definia seus sentimentos em relação à maternidade como arrependimento; no entanto, suas declarações, que corroboram as de Maya, podem ajudar a compreender os significados mais amplos de perder a si mesma.

Rotem (mãe de duas filhas com idades entre 5 e 10 anos)

Depois de dar à luz minhas filhas, eu não tinha nenhuma consciência de mim mesma. Na verdade, depois que tive as duas, me vi forçada a enfrentar os limites das minhas capacidades femininas. É isso. Não consigo mais fazer... nada... o mundo não está mais aos meus pés. Há um determinado espaço em minha vida que é muito importante para mim, tenho necessidade de espaços. E nunca antes me senti presa, incapaz de chegar a esses espaços. Mesmo com apenas uma filha, ainda podia fazer o que queria, mas com duas, não. Isso fechou meus espaços, meus horizontes, meu progresso. Eu tive uma espécie de epifania feminista [...] é muito importante que você transmita esta mensagem... e também o que escrevi antes, que fico muito feliz por alguém estar escrevendo esse estudo, alguém que publique essa voz. Para mim, não faz mais diferença, já tenho duas filhas, mas quero que minhas meninas tenham essa opção.

Emprego uma abordagem bem ampla e feminista ao dizer que uma mulher, depois de ter um filho, renuncia a *muitas* coisas às quais um homem não renuncia. E ao tomar essa decisão, deveria levar isso em conta. [...] Nunca adotei uma postura tão feminista, mas ser mãe mudou tudo. De repente, me dei conta de que *devemos* ser feministas. Até aquele momento, eu pensava: "Por que tanto alvoroço? Não tem *problema nenhum*! Posso fazer qualquer coisa, o que eu quiser." *O que eu quiser*. E todas as opções estavam de fato abertas. E quando entendi que isso estava perdido... As mulheres precisam se posicionar, porque o sistema cultural no qual vivemos está nos esmagando. Ele não permite que sejamos *o que* quisermos. *Isso não está certo*. Depois que se torna mãe, você não pode, *não pode fazer* o que quiser. Precisamos criar um sistema para defender isso, bem lá no fundo.

Maya e Rotem expressaram um sentimento manifestado por outras mulheres no estudo ao descrever sua experiência como "estou desaparecendo aos poucos, desvanecendo", "estou tentando tirar leite de pedra" e "eles estão me anulando por completo", enquanto se referem a quem eram antes, pessoas mais satisfeitas e completas.

Essa autopercepção contrasta com a premissa social de acordo com a qual uma mulher que não é mãe é uma pessoa vazia, insatisfeita e deficiente, esperando para ser preenchida pela maternidade, enquanto a maternidade é encarada como o nascimento de uma mulher tão completa quanto possível. Assim, enquanto uma mulher que não é mãe é considerada deficiente e por vezes uma não pessoa, essas mães se relacionam com a maternidade como algo que as tornou pessoas deficientes, já que suas experiências anteriores à maternidade parecem mais completas e satisfatórias. Em outras palavras, em vez de esboçar um movimento de "deficiente" para "completa", elas esboçam um movimento de "mais plena" para "esvaziada".

Essa espécie de movimento inverso também foi expressada ao identificar o eu anterior como um ser relativamente neutro no que se refere ao gênero, alguém que tinha a capacidade de vagar por aí sem ter consciência da "inferioridade" fruto de sua condição de mulher, enquanto a maternidade deu origem a um protótipo "da mulher" que as percepções culturais pré-maternidade identificavam como deficiente e limitada, o que as levava a experimentar o "ser mãe" como um sofrimento. Desse modo, a maternidade serviria para fazer as mulheres se lembrarem de que estão impregnadas do gênero feminino, sem a liberdade de se mover como se estivessem livres dele. Essa é a experiência de cair na armadilha da feminilidade à qual a sociedade aspira e da qual não há escapatória.[4]

Além da experiência da maternidade como uma perda multidimensional que leva a uma desagregação de partes do eu que são valiosas para as mulheres envolvidas, a maternidade pode conduzir, por outro lado, a um renascimento, embora de uma forma invasiva: com muita frequência, a maternidade desperta lembranças dolorosas da história de uma mulher que estavam enterradas havia anos, e não sem razão. Para algumas mulheres, portanto, a maternidade pode fazer memórias dolorosas ressurgirem e, assim, perpetuar outra perda: a perda da capacidade de esquecer.

Maya (mãe de dois filhos, um com idade entre 1 e 5 anos, outro com idade entre 5 e 10 anos, e grávida na época da entrevista)

Olho para minha filha e a aparência dela lembra a minha: sua pele é escura, os cabelos, cacheados – uma aparência incomum. E digo a mim mesma: "Meu Deus! Vou passar por isso outra vez." Estou vivenciando tudo de novo. Lembro que, quando criança, eu sonhava em ter 30 anos. "Quero ser adulta logo. Quero que a infância, a adolescência e toda essa porcaria acabem para eu poder me tornar uma pessoa estável." E aqui estou eu, aos 30 anos e passando por tudo isso de novo. Ela [sua filha] está frequentando a escola, e eu fico preocupada: Será que ela vai ser aceita? Será que vai se enturmar? Ou vai ser infeliz como eu fui? Isso é outra coisa que me mata, totalmente... Sabe como parte o coração quando você se senta com sua filha de 3 anos na banheira e ela diz: "Mamãe, não sai. Aqui você fez direito [Maya aponta para a palma da mão, a parte branca]. Aqui ficou marrom demais [Maya aponta para a parte externa da mão e a esfrega]." Nas duas semanas seguintes, fiquei no chão, não sabia o que fazer comigo mesma, não sabia o que fazer com ela. De repente, todas as angústias da minha infância ressurgiram. [...] Reviver toda a minha infância terrível é outra coisa que faz com que eu não me sinta bem.

As crianças costumam ser vistas como portadoras das memórias de seus pais, carregando tradições, folclore, valores, genes, características, talentos, potencial e aparência. A aspiração de perpetuar esses elementos no mundo é socialmente aceitável e desejável.

No entanto, Maya mostra que a perpetuação pode ter outro lado, um lado que revive experiências de racismo, homofobia e pobreza que estavam marcadas na pele. Mulheres de grupos socialmente marginalizados por vezes vivenciam essas injustiças em maior medida, pois sua maternidade pode se converter em um monumento, uma continuação dos sofrimentos impostos pela sociedade, vendo-se forçadas a criar um lugar seguro para seus filhos diante de uma ordem social hostil e racista.[5]

Maya, que descreveu como, ao longo da vida, teve que lutar contra o que sua pele escura representava em uma sociedade racista, foi forçada a enfrentar essas consequências mais uma vez com a filha, tentando encontrar formas de defendê-la. A filha representava para ela uma lembrança permanente de afrontas que deveriam ficar no passado, invadindo repetidas vezes o presente. Reviver as memórias da "pessoa que fui" que Maya preferiria deixar para trás é um dos motivos pelos quais a maternidade lhe causa sofrimento e não necessariamente celebra a continuidade da vida ou a narrativa da "segunda infância".

A maternidade, portanto, pode não apenas criar novas ordens mundiais na vida de uma mulher, mas também acentuar e aprofundar ordens primordiais, retraçando, ao mesmo tempo, os contornos de traumas obstinados, ou seja, os efeitos emocionais ocultos de ordens sociais opressivas, eficazes em sua invisibilidade insidiosa, como um fantasma que continua a assombrar a mente e o corpo, representando uma ameaça contínua ao eu.[6]

Para muitas mulheres, portanto, é impossível arrancar do livro de sua vida essas páginas de injustiça e deixá-las para trás, no chão de um quarto trancado à chave. Ao contrário: as memórias de Maya, quem ela foi e o que teve de enfrentar, a obrigam a reviver uma dor que ela achava ser coisa do passado. O passado não tinha passado.

A maternidade como uma experiência traumática

Uma questão igualmente importante, que emergiu em várias entrevistas, é o fato de que a maternidade pode não apenas redefinir os contornos de um trauma persistente, mas constituir em si mesma uma experiência traumática, pois está gravada em um corpo que pode permanecer em sofrimento.

Sophia (mãe de dois filhos com idades entre 1 e 5 anos)

Olha, eu não tenho esse amor por crianças que vejo na rua. Quando vejo um bebê, fico angustiada. Sou legal e simpática como todos, mas por dentro... Não que eu não ache que eles sejam fofos, mas fico com medo. Isso me lembra o meu trauma de ter bebês, temo que seja contagioso e que eu possa ter outro.

[...] Leio postagens em um fórum chamado "Mulheres que não querem filhos" para encontrar conforto e validar meus sentimentos. Porque tenho muito medo. O que me dá medo? Quando eu quis filhos, não foi uma experiência racional, mas emocional, impulsionada pelo meu útero. Tenho medo de acontecer de novo. Temo que meu útero desperte e de repente a ideia de ter outro filho pareça ótima, e tenho medo porque sei que não vou conseguir ser racional, então tento me lembrar de como foi difícil e ruim. Tenho medo de esquecer. Fico feliz que o trauma persista; ele me protege de ter outro filho.

Sunny (mãe de quatro filhos, dois com idades entre 5 e 10 anos e dois com idades entre 10 e 15 anos)

Eu: Você fala de noites sem dormir quando seu filho mais novo já tem 7 anos. O que isso significa para você?

Sunny: Estou sofrendo de um trauma, é o que posso dizer. Um verdadeiro trauma. Quando um dos meus filhos acorda à noite, vivencio tudo outra vez. Tudo. Acho que preciso fazer terapia [risos]. [...] Eu costumava recorrer à orientação parental e era muito aberta com o terapeuta. Mas isso não ajudou muito, na verdade; como poderia? Eu passei por essa experiência. Ela está lá. Teve seu impacto e deixou marcas. Nenhuma palavra, nada do que eu diga, nenhuma conversa pode compensar a grande perda que sofri, *que ainda sofro*. Nada pode compensar isso. É como se você pegasse uma pessoa que foi refém de terroristas, Deus me livre, e depois que ela fosse libertada a deixasse falar. Vai lhe fazer algum bem? Vai adiantar de alguma coisa? Vai trazer de volta o que foi perdido? Tudo que foi arrancado dessa pessoa? É isso. Não há nada a fazer. É como pegar uma pessoa que perdeu um braço e colocá-la para fazer terapia. Isso não vai fazer com que ela recupere o braço. E quanto a mim, perdi anos, não mãos, anos da minha vida, anos de agonia. [...] É muito doloroso quando uma pessoa, não importa se é homem ou mulher, perde sua vida e se torna um morto-vivo. Essa pessoa simplesmente fica vagando por um lugar de onde não pode sair. [...] É uma tragédia, mas todos agem como se estivéssemos diante de uma espécie de desafio divertido. É horrível.

Para essas mulheres, a maternidade é um acontecimento que as deixou com cicatrizes para toda a vida. Sunny reconhece que nunca poderá esquecer, e que essas perdas estão gravadas em sua pele como uma cicatriz que nunca poderá ser apagada, já que a maternidade a deixou mutilada para sempre. Sophia espera que as cicatrizes da maternidade permaneçam para sempre como lembrança de uma experiência traumática que ela não quer reviver nunca mais e que, portanto, nunca deve ser esquecida.

Há diversos testemunhos sobre como a maternidade pode ameaçar a saúde física e mental das mulheres: náuseas, depressão, fadiga, crises emocionais, danos físicos e perda de *status* social são apenas alguns exemplos das experiências das mulheres mesmo anos depois de ter dado à luz.

No entanto, ainda que esse conhecimento esteja estabelecido há muito tempo e se expandindo consideravelmente, esses testemunhos não são capazes de minar a imagem mítica de acordo com a qual a maternidade – mesmo que comece com uma crise – vai necessariamente levar à adaptação e a um final feliz.

Um dos motivos que explica essa premissa equivocada está no fato de que a concepção de "trauma" se refere a vicissitudes da vida ou acontecimentos como um desastre natural, um acidente de trânsito, uma doença, um roubo, uma guerra ou um "tipo específico" de estupro* que são

---

* Quando me refiro a "um tipo específico de estupro", quero dizer que enquanto uma agressão sexual cometida por um completo estranho é considerada de maneira geral algo negativo, imoral e criminoso; as agressões sexuais perpetradas por conhecidos durante um encontro, por exemplo, tendem a ser controversas, uma vez que em mais de uma ocasião são objeto de debate público em torno da "responsabilidade das mulheres" na decisão de outra pessoa de estuprá-las.

amplamente considerados negativos, por vezes imorais e criminosos, e, portanto, de efeito negativo duradouro.

A maternidade, ao contrário, está muito longe de ser considerada um acontecimento ou uma vivência que possa ter efeitos traumáticos duradouros – não por reviver traumas anteriores, nem como um meio de enfrentar traumas persistentes como racismo, sexismo, homofobia e pobreza, tampouco por gerar dificuldades ou tratar-se de uma simples crise temporária que vai melhorar com o tempo, mas a maternidade como trauma em si. A maternidade, por assim dizer, não é apenas excluída da experiência humana do arrependimento, mas também da experiência humana do trauma.

> Nas últimas décadas, ficou mais patente que a maternidade, que é ampla-
> mente considerada a origem de uma nova vida para os filhos e também
> para as mulheres, pode, no fim das contas, ser um estado que as consome
> e as elimina: "Embora um filho e um novo amor tivessem nascido, algo
> havia morrido no interior daquelas novas mães cujos relatos ouvi, e a
> experiência era mais difícil porque as mulheres, em algum nível, sob a
> alegria que sentiam por seus bebês, lamentavam em silêncio a perda de
> uma parte de seu eu anterior."[7]

Mas, ao passo que as mães norte-americanas do livro de Naomi Wolf, que tinham acabado de ter o primeiro filho, sentiam haver uma morte simbólica no fundo de suas alegrias, para as mulheres que participaram deste estudo a destruição é a essência da maternidade. Mesmo após ter dois ou três filhos, e ainda anos depois, lamentavam não apenas as perdas, mas, na maioria dos casos, a ausência de significado e propósito nessas perdas. Para elas, essas perdas sem sentido constituem um dos principais componentes de seu arrependimento, por mais amor que sintam.

Laços e grilhões do amor maternal

> "O que me falta é o gene maternal. É claro que amo meus filhos. Mas, para ser sincera, desde o começo eu não sabia o que fazer com eles."[8]
>
> *Mãe de três filhos*

Nem sempre foi exatamente assim, mas, na época atual, as mães são as pessoas de quem se espera determinado tipo de amor pelos filhos a fim de serem consideradas cuidadoras respeitosas e seres humanos morais. Ao passo que o amor dos pais certamente é valorizado e desejável, ele tende a ser encarado como um bônus a sua característica primordial: responsável pelo sustento da família.

Essa divisão emocional segundo o gênero tende a colocar uma pressão enorme sobre as mães, e as que se arrependem de sê-lo não estão imunes a isso. Talvez pelo contrário, pois *precisam* se certificar de que seu amor pelos filhos seja expresso de forma bastante clara. E, de fato, como já vimos, durante as entrevistas de meu estudo, a maioria das mães estabelecia uma distinção clara entre o amor pelos filhos e a experiência da maternidade. Essa distinção indicava a direção do seu arrependimento, uma direção que diferencia entre o amor que sentem pelos filhos e o ódio que sentem pela maternidade.

Doreen (mãe de três filhos com idades entre 5 e 10 anos)

Depois que você tem uma pessoinha em casa, uma pessoinha que cresce com você, você acaba se apegando a ela. Não há o que fazer. Vai além da nossa compreensão. É uma coisa muito primária. Houve uma época em que eu me sentia em um documentário da National Geographic. Porque... nos primeiros anos, tem muito a ver com instintos animais. Especialmente a amamentação. Ela mexe com você, é claro. E esse amor, esse apego é o que me faz querer que nada de mal lhes aconteça. Mas, por outro lado, não me sinto à vontade.

[...] Agora, o que acontece quando digo isso [que se arrepende de ser mãe] é que as emoções que vêm à tona, podemos chamá-las de consciência... imediatamente disparam e dizem: "Espere, você os ama. Como poderia abrir mão deles?" Eu abriria. Mas, de novo, é muito confuso dizer isso.

Jasmine (mãe de um filho com idade entre 1 e 5 anos)

Eu me lembro de uma conversa que tive com a minha mãe na qual eu disse: "Mãe, eu amo meu filho. Só não gosto de ser mãe." [...] Ele me faz feliz, não posso negar. Mas, deixando isso de lado, posso assegurar que não gosto de ser mãe. Em alguns momentos, até mesmo *odeio*, a ponto de sentir uma grande frustração.

Deixando de lado o amor em si, espera-se que as mães o *expressem* e enfatizem o quanto amam seus filhos não apenas porque vivem em uma sociedade que exige ouvir isso, mas porque se arrepender da maternidade é considerado uma violação flagrante das normas afetivas maternais, e, portanto, elas precisam assegurar aos que as rodeiam que nem tudo está "arruinado" em seu mundo emocional. Essa necessidade de reafirmação não significa que os sentimentos amorosos expressados não sejam vivenciados de maneira genuína, nem que sua veracidade deva ser questionada. Significa que os posicionamentos afetivos e suas manifestações sempre têm que ser ouvidos em seu contexto social.[9]

Na pesquisa histórica há uma certa controvérsia no que diz respeito à ideia do amor dos progenitores, principalmente das mães, pelos filhos. De acordo com uma corrente de pensamento, esse amor está longe de ser universal ou a-histórico; ou seja, o amor de mãe seria uma invenção moderna do Ocidente relacionada, entre outras coisas, com o surgimento da família nuclear e a separação entre as esferas "privada" e "pública", assim como resultado de mudanças demográficas e da diminuição das taxas de mortalidade infantil.[10]

De acordo com outra corrente de pensamento, é altamente improvável que a relação entre pais e filhos tenha de fato passado por uma evolução emocional, à luz de indicações em textos bíblicos e medievais no que diz respeito ao amor dos pais por um filho, sobretudo o amor "natural" da mãe, provocado pelo processo de carregar uma criança no ventre, dar à luz e se encarregar da sua criação.[11]

Ainda que as raízes da ideia do amor maternal estejam no centro dessa polêmica discussão entre historiadores, parece que, durante o século XIX, ocorreu uma mudança na percepção social desse amor nos países ocidentais. O resultado dessa transformação foi que o amor maternal se estabeleceu como um elemento distinto e estruturado, ainda mais sujeito a supervisão do que antes, transformando-se em uma plataforma para ideologia, assim como símbolos, significados e práticas que dependem da sociedade e da cultura de determinada época.[12]

Essa mudança na percepção social do amor maternal – paralelamente à mudança histórica no conceito do amor romântico, que o converteu em um artefato feminino – conduziu a uma transformação do amor, de uma experiência desorganizada que não pode ser explicada de forma literal a uma *estrutura amorosa*, ou seja, uma maneira de organizar sistematicamente as emoções. Dessa forma, a estrutura do "amor maternal" não apenas se viu moldada por forças sociais, políticas e econômicas, mas também foi usada por essas forças a fim de sustentar-se e endireitar as mulheres.

De acordo com diversos pesquisadores, portanto, *o uso* da ideia do amor maternal se tornou uma forma de opressão, já que estabelece os requisitos específicos que forjam o mundo emocional das mães e sua relação com seus filhos: elas devem sentir um amor incondicional pelos filhos, um amor que não seja demasiado inclusivo, mas ao mesmo tempo distinto o suficiente, e demonstrar esse amor de maneira louvável como parte de uma gama de sentimentos que define a natureza da "maternidade boa e moral". Por outro lado, fracassar na expressão do amor pelos filhos pode servir como prova da imoralidade da mãe, de sua falta de feminilidade, de suas deficiências e principalmente de sua incapacidade – como se esse amor fosse apenas algo natural, nada além de um instinto biológico.

Visto dessa forma, o arrependimento em relação à maternidade surge como a prova final da ausência de amor maternal, como disse Doreen: "Se você não quer [filhos], ou se não queria mas os teve mesmo assim, as pessoas imediatamente supõem que você não os ama." O arrependimento é associado à falta de amor maternal como se ambos fossem sentimentos parasitários, que só podem viver à custa um do outro, sem que o arrependimento e o amor de mãe possam coexistir de maneira nenhuma: ou há amor e, portanto, não há arrependimento, ou há arrependimento e, portanto, não há amor. A reação social comum à afirmação "Amo meus filhos, mas me arrependo de ser mãe" é, com muita frequência, vê-la como impossível por definição, pois como é possível que o desejo de eliminar a maternidade não signifique ao mesmo tempo um desejo de eliminar nossa descendência? Entretanto, uma afirmação similar como "Eu ainda o amo, mas me arrependo de tê-lo conhecido", a respeito de um relacionamento amoroso sofrido, dificilmente seria considerada infundada da mesma forma. Em outras palavras, pode ser o caráter sagrado da maternidade que impede que se leve em conta que uma mãe pode amar ao mesmo tempo que reconhece que esse amor pode ter consequências inesperadas e até mesmo afetar para sempre sua vida.

Internalizar esse esquema de "um ou outro" pode levar as mães a adotarem a atitude pragmática de enfatizar a existência definitiva do seu amor maternal. Dessa forma, tirar os filhos da equação, reforçando a centralidade do amor por eles, pode reduzir, aos olhos dos indivíduos e do público em geral, a gravidade da transgressão. Quando "o amor se torna um sinal de feminilidade respeitável e de qualidades maternais descritas como a capacidade de tocar e ser tocada pelos outros",[13] então enfatizar o objeto do arrependimento, ou seja, a maternidade e não os filhos, pode permitir que as mães reivindiquem não apenas seu direito de serem vistas como mulheres morais, mas também seu direito de serem consideradas humanas.

Além disso, a insistência das mães no fato de que amam e se arrependem ao mesmo tempo pode indicar que o afã social para organizar nosso mundo interior de maneira binária não faz sentido: sob a dicotomia entre amor e arrependimento usada pelas próprias mães (como consequência da coação social), subjaz o relato de uma tentativa de fundir e integrar, criando um âmbito no qual elas e sua experiência subjetiva não se vejam reduzidas a uma categoria que exclua boa parte de sua bagagem emocional pelo simples fato de terem expressado arrependimento.

A obrigação de cuidar

O arrependimento não é interpretado apenas como uma falta de amor maternal, sendo associado também a um comportamento definitivamente nocivo para os filhos, uma vez que as pessoas costumam associar o arrependimento a indiferença, hostilidade, negligência e violência.

Susie (mãe de duas filhas com idades entre 15 e 20 anos)

Eu recebi aconselhamento parental de nossa assistente social e da professora, então falamos sobre o fato de... Eu contei a elas, elas já ouviram minha opinião, mas sempre ficam chocadas. Dizem: "Se não a conhecêssemos, tiraríamos suas filhas de você. Diríamos que elas são desafortunadas. Se não conhecêssemos você." [...] É irritante. Então eu respondo que é o contrário, que exatamente porque digo isso, parto de uma posição de empoderamento. Não estou negligenciando minhas filhas.

MÃES ARREPENDIDAS

Outras mães que se arrependem da maternidade se deparam com interpretações similares:

> Na minha ingenuidade, quando disse isso à cuidadora do centro infantil, ela chamou uma assistente social que ameaçou tomar meu filho e me forçou a encontrá-la durante seis meses para revisar 'minha atuação como mãe'. Então é importante que haja estudos como este, para nos dar uma voz e permitir que as mulheres expressem seus pensamentos e sentimentos negativos [...] sem serem deslegitimadas e demonizadas.

Elas são acusadas até mesmo de ter intenções assassinas:

> É horrível. O arrependimento como uma justificativa para não assumir responsabilidade pela vida dos filhos... uma justificativa para afogá-los na banheira ou no mar.[14]

Portanto, aparentemente se espera que as mulheres que se arrependem de ter filhos demonstrem não apenas seu amor, mas também sua dedicação aos filhos e a seu bem-estar (amar outra pessoa e cuidar dela não são necessariamente a mesma coisa na prática); que provem que não maltratam seus filhos por causa de sua postura emocional em relação à maternidade.*

---

* Três das mulheres que participaram deste estudo mencionaram episódios isolados nos quais foram violentas com os filhos. Duas disseram que buscaram ajuda profissional e nunca mais voltaram a fazê-lo. Estou relatando esse fato porque toda violência contra crianças precisa ser registrada, e não porque isso precise ser discutido no que diz respeito ao tema deste estudo. As estatísticas sobre violência de pais contra filhos provavelmente não captam sua extensão real, e o arrependimento da maternidade ou da paternidade como causa dessa violência se dá somente em casos pontuais. Esses números deveriam nos lembrar de que não há razão para tirar conclusões precipitadas que na maior parte das vezes levam a percepções imprecisas do arrependimento da maternidade.

A ideia da dedicação e da responsabilidade para com os filhos e outras pessoas em geral aparece no texto *Ethic of Care* [Ética do cuidado], de Carol Gilligan: de acordo com Gilligan, trata-se de redes de relações intersubjetivas que se sustentam na condição feminina de entrega. Nelas se reflete a responsabilidade moral em relação ao próximo ao mesmo tempo que se mantém uma postura de envolvimento, interesse, atenção e adaptação às necessidades dos outros, a ponto de apagar as necessidades e os desejos da mulher.[15]

As mulheres entrevistadas por Gilligan discutiram em profundidade os elementos de que se compõe essa ética; várias afirmaram que, ao se tornarem mães, puderam expressar sua capacidade de cuidar e, consequentemente, sentir-se seres humanos, mulheres e mães afetuosas e zelosas. As mães entrevistadas para esta pesquisa, por sua vez, afirmaram, de diversas maneiras, que se sentiam *obrigadas* a ser responsáveis e abnegadas em relação aos filhos, obrigação que por vezes era vista por algumas delas como absurda.

Odelya (mãe de um filho com idade entre 1 e 5 anos)

Odelya: Amo meu filho e sou uma mãe muito responsável; na verdade, sou uma mãe histérica e estou inclusive brigando no que diz respeito às visitas, porque acho que a casa do avô paterno não é segura, então brigo por isso, mesmo que seja absurdo, porque deveria ser exatamente o contrário [risos].

Eu: E o pai?

Odelya: O acordo de visitas é de uma noite por semana. O pai o pega às três da tarde e fica com ele até a manhã seguinte. Como eu disse, no momento estou lutando para que ele não passe mais nem uma noite com o pai. Então, mesmo agora, ele o tem por pouco tempo. É absurdo. Completamente absurdo.

Eu: Absurdo porque você sente que está lutando por algo que não quer?

Odelya: Eu quero, de verdade. Porque, apesar de tudo, quero que meu filho cresça saudável, de acordo com o que acredito que seja bom para ele. Não tinha como ser diferente, eu o coloquei no mundo, é minha responsabilidade cuidar dele. Eu o coloquei no mundo e agora tenho uma enorme responsabilidade, e não vou renunciar a ela. Realmente quero criá-lo da melhor forma que puder, pelo menos de acordo com meus critérios, apesar de haver um preço, sem dúvida.

Sophia (mãe de dois filhos com idades entre 1 e 5 anos)

Apesar de toda a raiva e de tudo mais que lhe contei, não sou de maneira nenhuma uma mãe negligente. Sou muito responsável e cuido deles da melhor maneira que posso. De verdade... eles receberam os cuidados intensivos dos quais precisavam. Eu sofro e choro, mas faço. [...] Eu *realmente* sou uma boa mãe, *de verdade*. Tenho vergonha de dizer isso. Sou uma mãe para quem os filhos são importantes, eu os amo, leio livros, recebo orientação profissional, faço tudo que está a meu alcance para educá-los e lhes dar amor e afeto. As crianças me adoram, me amam. Têm uma vida boa e feliz. Meu papel como mãe é correto; no começo, foi difícil, mas sou uma boa mãe. [...] É absurdo. Porque eu não os queria, *realmente* não os queria por perto. *Mas eles estão aqui. Eles existem.*

Sunny (mãe de quatro filhos, dois com idades entre 5 e 10 anos e dois com idades entre 10 e 15 anos)

Eu: O arrependimento se desenvolve na prática?

Sunny: É possível, mas, no meu caso, é o contrário: quanto mais me sinto dessa maneira, mais dou a eles. Não é uma compensação, é mais... é muito importante pôr em prática... Fazer do meu passado uma boa experiência para eles. Compreendo que o que sinto é resultado do meu passado e do meu presente, e não quero que isso os afete, não quero que eles carreguem esse peso. Veja bem, toda pessoa tem problemas que vêm da infância... Não quero que eles sejam expostos a isso de forma nenhuma. Quero que sejam felizes. Quando eles estão felizes, eu fico tranquila, é uma maneira de pôr fim a todo o sofrimento pelo qual passei quando criança.

Eu faço uma distinção: de um lado, eu como pessoa, do outro, eu como mãe. São duas entidades diferentes. Eles nunca devem ser afetados por isso. Quando tento me ouvir, isso pode parecer contraditório. Talvez seja, não sei. Há duas mulheres vivendo dentro de mim, não quero que elas [as crianças] sofram por isso. Elas não têm culpa do que aconteceu comigo, não precisam carregar esse peso. Precisam ser como qualquer outra criança: felizes.

As mulheres que não desejam ser mães parecem encarar uma dupla responsabilidade: pelo bem-estar dos filhos, pois assim dita a expectativa pessoal e social (de que as mães devem cuidar atentamente de seus filhos), e a obrigação de dar conta do fato de ter um filho em primeiro lugar.

Essa dupla responsabilidade, no contexto da discrepância entre o desejo de ser mãe de ninguém e a realidade de ser mãe de alguém, pode levar a uma existência partida e uma luta entre identidades, como Sunny disse anteriormente, e como definiu Doreen: "É como ser duas pessoas ao mesmo tempo. Às vezes sinto como se tivesse esquizofrenia."

Assim, muitas mães se veem colocadas em segundo plano em sua própria existência em nome de uma obrigação de atender às necessidades dos outros, a ponto de até mesmo apagar suas próprias necessidades e sentimentos, e essa obrigação é com frequência aumentada quando as mulheres cuidam, entre outras razões, *porque* se arrependem de ter se tornado mães.

Ser mãe: uma história sem fim

> *"Para o meu próprio bem*, espero que meus filhos não se casem nem tenham filhos. Isso me dá medo; não quero isso na minha vida. Se tiver netos, serei obrigada mais uma vez a fazer coisas que não quero. [...] Vai ser apenas um peso."
>
> *Sky (mãe de três filhos, dois com idades entre 15 e 20 anos e um com idade entre 20 e 25 anos)*

Atualmente, muitas mães estão envolvidas nas diferentes tarefas que compreendem a criação dos filhos: amamentar, trocar fraldas, colocar para dormir, acordar, levar e buscar na creche ou na escola, cozinhar e alimentar, vestir, ajudar com o dever de casa, educar, levar às atividades extraescolares, ir à piscina, à praia e aos parquinhos, participar dos eventos e reuniões na escola, acompanhar e ministrar cuidados durante as doenças e muito mais. Essas tarefas, ou pelo menos algumas delas, determinam as atividades diárias da maioria das mulheres. Baseiam-se em determinadas concepções culturais e de classe no que diz respeito às necessidades dos filhos e como elas devem ser atendidas a fim de que eles se beneficiem quando crescerem.

Algumas mães vivenciam essas tarefas como grandes dificuldades.

Helen (mãe de dois filhos com idades entre 15 e 20 anos)

Comecei a amamentar imediatamente, dei o primeiro banho... todas essas coisas. Eu não tinha medo de nada. Tudo era tranquilo, não precisávamos de nenhuma ajuda. Por outro lado, sair para dar uma volta ou para ir ao parque por vezes era *insuportável* para mim. Eu não dava conta deles *fisicamente*. Era incapaz. Aos sábados, ele [o marido] acordava e os levava; não era um problema para ele. Quando eu os levava ao parque, era algo que *fisicamente* eu era incapaz de fazer [bate na mesa enquanto fala].

Odelya (mãe de um filho com idade entre 1 e 5 anos)

Durante os dois primeiros anos, tudo que eu fazia era técnico: trocar, limpar, organizar, levar ao jardim de infância, pegar no jardim de infância. Eu me certificava de dar beijos e abraços, e não tinha a menor dúvida de que estava dando ao meu filho tudo que eu achava necessário. Foi muito difícil para mim. Mais tarde, comecei a ir a um terapeuta e me conectei com a minha maternidade, o que é muito diferente, e consegui dizer "Ok, isso é o que posso dar, e tudo bem", mas a verdade é que eu não gosto desta época, faço as coisas na maior parte do tempo porque me sinto obrigada e tento não fazer coisas que me causem sofrimento, como levar meu filho ao parquinho [risos], não faço... de jeito nenhum. Quando muito, posso levá-lo comigo para um café, mas, mesmo assim, não é divertido. [...] Eu estava concentrada nos aspectos técnicos, como se não fizesse de coração. Eram apenas tarefas técnicas. Eu poderia facilmente ter pegado uma boneca e brincado com ela. Seria praticamente o mesmo.

Mais mães do que a sociedade admite compartilham essas dificuldades, mesmo aquelas que não demonstram arrependimento em relação à maternidade. Um dos possíveis confortos que pode apaziguar esse sofrimento é pensar que ele tem uma limitação temporal, ou seja, que em algum momento essas tarefas vão ter fim, quando as crianças forem capazes de andar com as próprias pernas e se tornarem independentes.

Na realidade contemporânea, entretanto, talvez as coisas não sejam exatamente assim. A sensação de obrigação, responsabilidade e preocupação em relação aos filhos não costuma desaparecer, nem mesmo quando essas tarefas mecânicas ficam para trás, uma vez que, para muitas mulheres, a consciência da maternidade está sempre presente, 24 horas por dia, sete dias na semana. Como disse Jasmine: "Quando se tem um marido, pelo menos quando ele viaja você tem um pouco de liberdade. Com um filho, ele está sempre na sua mente."

Aparentemente, as mulheres, ou um número indeterminado delas, não conseguem deixar de ter a maternidade constantemente em seus pensamentos, como se ela não tivesse limites temporais nem localização física: é sentida por mães quando estão de férias longe dos filhos, quando estão na prisão, quando emigram para outro país a fim de proporcionar uma vida melhor para a família enquanto os filhos ficam no país natal, ou quando os filhos já estão independentes, quer estejam morando do outro lado da rua, quer estejam vivendo do outro lado do oceano. Essa consciência pode estar eternamente presente mesmo quando a maternidade não é exercida nem se desenvolve na prática – no caso, por exemplo, das mães que entregam seus filhos para adoção ou que perderam os filhos. Como se costuma dizer: Uma vez mãe, sempre mãe. O cordão umbilical entre mulher e feto se transforma em uma metáfora para a relação de mãe e filho muito além do útero.[16]

Sophia (mãe de dois filhos com idades entre 1 e 5 anos)

Mesmo que, Deus me livre, eles morram, ainda estarão comigo o tempo todo. O luto por eles, sua memória e a dor seriam insuportáveis. Perdê-los agora representaria um certo alívio, mas a dor seria maior que esse alívio. Porque eles já estão aqui, não há nada que eu possa fazer para mudar isso. [...] Nada que eu possa fazer, eles existem e dão muito trabalho, mesmo que não estejam perto. E é assim. É um problema. É por isso que eu recomendo não ter filhos [risos]. [...] Não importa; meu marido me perguntou: "E se tivéssemos um milhão de dólares e uma babá?". Mas não importa. *Você é a mãe ou o pai.* Você é a mãe ou o pai, e a responsabilidade é sua. A responsabilidade e o sofrimento. E eu não entendia isso naquela época. Tinha certeza de que teria muita ajuda, de que ia me divertir e amar o bebê.

Carmel (mãe de um filho com idade entre 15 e 20 anos)

Sou uma mãe *incrível*, e posso atestar isso sempre que for preciso. Paguei um preço muito alto e vou continuar pagando pelo resto da vida: preocupações, desgostos. E não falo de preocupações do tipo "ele vai cair da bicicleta, ele vai ser atropelado". *Isso não é nada.* Desse tipo de preocupação não tive muitas. Estou falando de dores de cabeça e desgostos bem maiores. Como... muda com a idade. Quando era mais novo, meu filho tinha problemas de relacionamento. Isso acabava comigo. Não se enturmava com as outras crianças, não tinha amigos, ficava sozinho. Eu ficava completamente *destruída* com essas coisas. *Elas me consumiam.* Agora estou preocupada com o que ele vai ser quando crescer. Não importa, eu chamo isso de preocupações existenciais. Dor de cabeça, angústia, preocupações... todas essas coisas.

Naomi (mãe de dois filhos com idades entre 40 e 50 anos e avó)

Tem uma coisa que é muito difícil para mim, a minha responsabilidade em relação aos meus filhos, mesmo que já sejam adultos. *Não passa* [risos]. É terrível. Terrível. E agora me sinto responsável pelos meus netos, talvez menos do que me sentia em relação aos meus filhos, porque meus netos têm os próprios pais, mas ainda assim. *Não tenho sossego.*

Bali, que lida com uma deficiência neurológica, falou durante a entrevista não apenas sobre recursos como o tempo, mas também sobre recursos físicos, assim como sobre a necessidade constante de estar atenta ao filho.

Bali (mãe de uma filha com idade entre 1 e 5 anos)

Eu: Você disse que há momentos em que está perto dela, mas não está com ela, nos quais pode fazer as coisas que quer e das quais gosta. O que lhe parece difícil nessas condições?

Bali: É um fardo. É irritante. Tudo tem de ser de acordo com a programação dela, que está sempre presente. A responsabilidade e a consciência em relação a ela estão sempre lá. A programação é de 24 horas por dia, e o fato é que não sou livre para fazer o que quero. O tempo é limitado, e meus recursos também. Tenho que preservar minhas forças. Para estar com ela, preciso de energia, então não posso fazer mais nada.

Portanto, quer estejam criando os filhos sozinhas ou com um parceiro, quer os filhos morem com o pai, as mães continuam a alimentar os filhos simbolicamente e a cuidar deles em sua consciência, mesmo anos depois da primeira infância fisiológica.

Essa experiência subjetiva de estar presa é uma das muitas ramificações do modelo atual de maternidade exigente, de acordo com o qual a consciência das mães deve estar tomada pela maternidade, seja qual for o contexto no qual se dá a relação com os filhos; caso contrário, serão consideradas "mães ruins". Entretanto, essa vinculação alude a uma percepção mais extensa do eu das mulheres como indivíduos no tempo e no contexto dos outros: de maneira geral, são as mulheres que estão mais comprometidas ao tempo dedicado ao cuidado de terceiros, que é diferente e não corresponde ao "tempo do relógio", porque não costuma ter começo nem fim e está entrelaçado a outras atividades, como se fosse algo que as mulheres carregam com elas, objeto de uma preocupação permanente que exige atenção, paciência e disponibilidade. Dessa maneira, são as necessidades daqueles que recebem o cuidado, e não o relógio, que definem quando e como as coisas acontecem. Trata-se de um tempo que não pode ser quantificado nem estimado, porque em muitos casos acontece paralelamente a outras atividades.[17]

Isso converte a maternidade em uma história sem fim e transforma o cordão umbilical que se estende entre as mães e seus filhos em uma experiência perpétua que com frequência parece ser uma corda enrolada em volta de seu pescoço. Para algumas mães, esse cordão umbilical imaginário elimina sua capacidade de se mover, de se distanciar e de sentir que são senhoras de si mesmas, mesmo quando passam a ser avós.

Enquanto a literatura de pesquisa e os textos populares estão repletos de relatos acerca da luta de mães para cuidar de seus filhos sem se esquecer de si mesmas, muitas participantes deste estudo descreveram esse esforço como intolerável, a ponto de desejarem fazer a maternidade desaparecer por completo.

Em vista do debate empreendido até agora sobre a consciência de ser mãe, pode-se perguntar como os companheiros e pais se encaixam nessa história interminável.

Onde estão os pais?

A maioria das participantes desta pesquisa mencionaram os pais de seus filhos, mas para muitas tratava-se da história de uma ausência. Apesar de a amamentação física se limitar ao corpo feminino, esse não é o caso da "amamentação simbólica", mas, ainda assim, os pais não estavam presentes.

Erika (mãe de quatro filhos com idades entre 30 e 40 anos e avó)

Nunca tive um dia de tranquilidade enquanto criava meus filhos. Nem um. Quatro filhos em idade escolar, quatro filhos com temperamentos e necessidades diferentes, e eu perdida em meio às necessidades deles, com um marido que não contribuía em *nada* para a família a não ser com o salário. Ele achava que sua função era colocar dinheiro em casa, e era o que fazia. Dizia "bom dia" para as crianças e às vezes nem chegava a dizer "boa noite" até eu reclamar, e então sua presença se tornou menos frequente, e logo começou a trabalhar à noite a minha custa, mas não à custa das crianças. [...] Ele era invisível. Saía e recebia o salário, e pronto. Não fazia nada. Eu queria que tivesse sido diferente. E talvez não estivéssemos falando sobre isso hoje. Eu queria que tivesse sido de outra maneira.

Susie (mãe de duas filhas com idades entre 15 e 20 anos)

Eu sempre rio ao falar com homens que são chefes ou têm cargos de responsabilidade e que se orgulham de serem parceiros em casa, e lhes pergunto quando foi a última vez que verificaram se estava faltando papel higiênico ou se a pasta de dentes estava acabando. [...] Quando elas [as filhas de Susie] estão lá [na casa do pai], eu me preocupo com elas, pergunto o que estão fazendo e ouço histórias. O pai está feliz, chega do trabalho, assiste à televisão com a namorada, janta... Por que ele deveria se importar? E de casa, grito para ele: "Por que as coisas têm que ser dessa forma? Você assumiu uma responsabilidade, agora pelo menos esteja presente."

Brenda (mãe de três filhos com idades entre 20 e 25 anos)

Criei meus filhos sozinha, porque o pai era indiferente e não participou da criação deles, nem deu nenhum dinheiro. [...] Eu mal podia esperar pelos dias em que ele os levava, mesmo que fosse apenas uma sexta-feira a cada duas semanas. Depois que eles saíam, Deus é testemunha de como eu rezava para aquele fim de semana durar pelo menos um mês, para eu pode passar algum tempo sozinha e me pôr em dia comigo mesma. Ele começou a me ameaçar, dizendo que ia pedir a guarda dos filhos, e ficou chocado quando eu disse que não me importava de ele morar com as crianças e eu ficar com eles apenas nos fins de semana. Eu também passava muitas horas fora de casa, porque tinha que trabalhar. Eu era nossa única fonte de renda e, se tivesse dinheiro, teria contratado uma pessoa para ficar com eles à tarde para eu poder fazer coisas e tomar ar fresco. Não consigo entender as mulheres que se recusam a criar os filhos em parceria. Estou falando de mulheres divorciadas. Na minha opinião, essa é a melhor coisa do divórcio – quando o ex-marido é um bom pai e fica com as crianças com frequência, e assim a mãe pode dispor de um tempo para si mesma. Precisamos de uma folga dessa vida caótica.

Parece que às vezes a paternidade pode existir, mas estar ao mesmo tempo vazia de conteúdo; quer dizer, os pais não estão presentes por completo, e diversas mães têm dificuldade de lidar com o modelo de maternidade exclusivo-dual. Essa ausência depende da capacidade de ter tempo livre, uma capacidade que se baseia na percepção da identidade de gênero de quem possui esse tempo.[18] No que diz respeito à amamentação fisiológica e tangível, permite-se aos pais desaparecer literalmente durante a noite e continuar a dormir enquanto a mulher alimenta o bebê. No que diz respeito à amamentação simbólica, no entanto, a isenção fisiológica com frequência se traduz em uma longa dispensa do "segundo turno", as horas após a jornada de trabalho que são dedicadas a limpar a casa, cozinhar, levar os filhos às atividades extraescolares, ajudá-los com o dever de casa etc. E isso ocorre também no que diz respeito ao "terceiro turno", o trabalho emocional que tenta remediar os danos causados pelas colisões entre as demandas do primeiro e do segundo turnos.[19]

Então os pais têm, em termos gerais, mais oportunidades de atuar como se fossem donos do tempo. As mães, menos. A maioria das mães que participou do estudo – fossem casadas, divorciadas ou separadas, tivessem um emprego remunerado fora de casa ou trabalhassem em casa sem receber salário – afirmou que eram elas que carregavam o peso de criar os filhos enquanto os pais tinham a habilidade de criar desculpas e se ausentar no tempo e no espaço. "Os pais percebem a necessidade de fazer esforço, mas, no caso deles, é muito mais aceitável que virem as costas e saiam correndo. Há estudos que demonstram que, depois do nascimento dos filhos, os pais fazem mais hora extra de forma explícita e procuram novos hobbies para estarem disponíveis pelo menor tempo possível durante a noite e nos fins de semana. Isso não acontece com todos, é claro, mas eles sabem como é exaustivo cuidar de um bebê e tentam se livrar disso, o que é socialmente aceito. Mas, quando acontece o contrário e a mãe diz Eu faço ioga e amanhã vou sair para tomar um drinque com minhas amigas, todo mundo fica espantado e se pergunta o que há de errado com ela."[20]

Ou como foi expresso em outro blog sobre maternidade:

> Uma mãe que deixa os filhos ficarem acordados depois das sete da noite é uma mãe relapsa, mas os homens podem ir para Halle, para o Brasil ou para Marte e nunca são considerados pais negligentes. Os homens nunca podem ser maus pais.[21]

Se analisarmos mais detidamente as interseções entre tempo e espaço no que diz respeito à paternidade, será possível perceber que provavelmente não é coincidência que durante as últimas décadas tenha havido uma mudança de terminologia nos Estados Unidos: de dona de casa (*housewife*) para mãe que fica em casa (*stay at home mom*). Ao passo que a primeira expressão se referia à identidade de uma mulher como uma ama dedicada às tarefas domésticas, a segunda – que ganhou popularidade no fim do século XX e início do século XXI – deixou de lado a ama e realocou a identidade da mulher como mãe, ainda que continue a reproduzir a ideia de uma pessoa que *permanece* constantemente em casa.[22]

Assim, enquanto muitas mulheres e homens lutam por porções de tempo, costumam ser as mães que não recebem nada além de migalhas. Nesse sentido, a ausência dos pais pode contribuir para estabelecer a sensação de "amamentação infinita", com possibilidades muito limitadas para a mãe de sair ou ter uma folga, ao passo que a maioria dos pais pode escapar e de fato o faz.

Essa luta para conseguir tempo não se limita às mães que participaram desta pesquisa, apesar de ter um significado distinto

EXPERIÊNCIAS DE MATERNIDADE E PRÁTICAS DE ARREPENDIMENTO

quando não há alegria nem satisfação derivadas da maternidade para compensá-lo. Dessa forma, embora o fato de não conseguir ter uma folga possa ser sufocante para muitas mães, esse sentimento pode ser uma verdadeira catástrofe quando o que se deseja é não apenas ter um pouco de tempo livre, mas sim apagar a maternidade por completo.

Além dos relatos sobre pais que não estiveram presentes, há outros que mostram uma divisão mais equilibrada entre ambos os progenitores do cuidado com os filhos em uma parceria em sua criação.

Liz (mãe de um filho com idade entre 1 e 5 anos)

Liz: Eu só conheço a parceria plena, então as histórias que ouço à minha volta são estranhas para mim. Também é uma questão de como me expresso, quer dizer, não espero que alguém entenda algo sem que eu diga e explique o que quero.

Eu: Então, na sua opinião, esses sentimentos não se baseiam em parte no fato de você ter que arcar com a maior parte do peso?

Liz: De jeito nenhum, nem um pouco. Eu também vinha... Porque durante muitos anos eu não queria ter filhos, não tinha instinto maternal, então desde o começo, depois de dar à luz, eu disse: "Esse bebê é nosso, boa sorte para nós. Nós dois não sabemos nada, então vamos ter que aprender juntos." Eu nunca disse que era mãe porque sou mulher, então sei o que fazer. Eu não sabia nada, então, desde o começo... Acho que, em muitos casos, a mulher diz "eu sei" apenas porque é mulher, não porque... Nós não nascemos com esse conhecimento, e o que acontece então é que com o tempo isso se fixa, e, quando a mulher descobre que quer ter uma folga, é muito mais problemático e complexo, porque a outra parte fica com medo. Em nosso caso, foi o oposto, havia muitas coisas que eu não fazia, e ele, sim.

No caso de Helen, os filhos foram praticamente criados pelo pai, e não por ela, embora ela estivesse presente:

Helen (mãe de dois filhos com idades entre 15 e 20 anos)

Eu sentia que aquilo não era para mim, simples assim. Não era para mim, eu não gostava. Em absoluto. Não gostava dos arrulhos nem de ficar sentada com o chocalho durante horas. Não me atraía. Não via graça em ficar sentada durante horas lendo a mesma história ou ouvindo a mesma canção. Algumas pessoas gostam. Eu não. Eu *sofria*. Eu não gostava, *sofria*. *Sofria* de verdade. Era um verdadeiro suplício. Às vezes, eu ligava para o meu marido e dizia que, se ele não fosse imediatamente para casa, eu ia ter um troço. De verdade, eu estava falando sério. Não era uma maneira de falar ou algo hipotético. Me refiro a um *colapso* emocional.

[...] Eu lembro que adorava sair de casa à noite, a hora do banho e tudo mais... Por isso, dizia ao meu marido que muitas vezes ele era a mãe. Ele tinha uma paciência de elefante. Voltava do trabalho e... Eu chegava do trabalho e não tinha paciência para nada. Ele chegava do trabalho e começava a fazer as tarefas da casa – dar banho nas crianças, preparar o jantar, tudo. Eu... nem pensar.

Mas ser capaz de criar brechas para escapar das tarefas envolvidas na criação dos filhos, conquistando tempo e espaço, não necessariamente significa ser capaz de cortar o cordão maternal com os filhos, como experimentou Helen.

Helen (mãe de dois filhos com idades entre 15 e 20 anos)

O problema para mim era a responsabilidade. Não de... Acho que não estou me explicando bem: a responsabilidade de educar uma pessoa. Não a responsabilidade de se preocupar, pensando: "Ah, não, ele vai..."

É algo que permanece aqui [gesticula, indicando a nuca], você abre mão da sua liberdade *para sempre*. Não é a liberdade... Não sei se estou me explicando com clareza. É como... se antes você fosse responsável apenas por si mesma; não responsável pelo seu parceiro ou parceira, porque ele ou ela é adulto, você está de alguma forma ligada a ele ou a ela – mas, com um filho, é como se você não estivesse mais sozinha. É isso, você não está mais sozinha, não há mais liberdade em sua mente.

Retomando a ideia da maternidade como uma história sem fim, parece que essa amamentação simbólica que não tem limites nem um final à vista e que, portanto, é vivenciada como algo invasivo, pode não necessariamente ser influenciada pela presença ou ausência do pai. Mesmo quando as mães podem compartilhar os cuidados e contar com a ajuda de outras pessoas, isso não desfaz nem serve de contrapeso ao arrependimento. Na verdade, lamentar a maternidade codifica seu desejo de abrir uma brecha, de escapar para sempre no tempo e no espaço. Em outras palavras, as mães arrependidas anseiam por um ponto final no qual voltarão a sua vida "normal" e ao seio do seu "eu" como o conheciam antes, em contraste com a consciência do cuidado materno diário, uma lembrança constante de que o "tempo da maternidade" é cíclico e eterno, mesmo quando os cônjuges participam de maneira igualitária na criação dos filhos e se dedicam aos cuidados com eles. Como essa brecha eterna não pode se tornar realidade, elas recorrem à imaginação e às fantasias para eliminar os filhos ou elas mesmas da equação familiar.

Fantasias de desaparecimento

Como não podem deixar de ser mães nem pôr fim à relação com os filhos, as mães recorrem a uma forma diferente de lidar com a situação, um panorama alternativo, que se produz no reino da imaginação e da fantasia, fruto de seu desejo de que os filhos não existissem.

Sophia (mãe de dois filhos com idades entre 1 e 5 anos)

Nunca tive fantasias sobre fazer mal a eles, fantasio apenas com um pequeno gênio da lâmpada [risos] que dissesse: "Tudo bem, vamos começar de novo, e desta vez eles não vão existir. Nada vai acontecer a eles, eles não vão existir, não vão saber, não vão sentir nada."

Carmel (mãe de um filho com idade entre 15 e 20 anos)

Eu: Você já pensou alguma vez... [Carmel responde antes mesmo que eu termine de fazer a pergunta.]
Carmel: Claro.
Eu: Em ir embora?
Carmel: Ir embora? Achei que fosse perguntar outra coisa [risos].
Eu: Que outra coisa?
Carmel: Matá-lo. Que ele estivesse morto. Sim. Sim. Sim. Muitas vezes. Até hoje. Não são fantasias que planejo nos mínimos detalhes, e é claro que nunca aconteceu... Mas até hoje tenho fantasias nas quais ele adoece e morre. O tempo todo. O que vou lhe dizer é horrível, provavelmente vou sonhar com isso esta noite; se algo acontecer a ele, eu morro. É... Mas de alguma forma vou ficar aliviada. Eu sei. É horrível, eu sei que dizer isso é uma atrocidade, mas é a verdade. A verdade é que eu também vou ficar aliviada. [...] Entenda, é muito difícil. Essas fantasias de que ele morre são um peso terrível, e estão presentes o tempo todo. O tempo todo.

Odelya (mãe de um filho com idade entre 1 e 5 anos)

Às vezes me pergunto como... como é possível que essa coisa seja minha? Por quê? Queria que ele desaparecesse. Mas ao mesmo tempo não queria. Você sabe... Na prática, eu não quero. Mas às vezes tenho esse sentimento. Não é exatamente o desejo de que ele desapareça agora, mas o arrependimento por ele ter acontecido. Algo mais como: "Por que diabos fui fazer isso?"

EXPERIÊNCIAS DE MATERNIDADE E PRÁTICAS DE ARREPENDIMENTO

Doreen (mãe de três filhos com idades entre 5 e 10 anos)

Eu: Você consegue pensar em algum momento em que o arrependimento tenha se materializado na prática?

Doreen: O tempo todo. O tempo todo. O tempo *todo*. Diariamente. Sim. É horrível. São três crianças lá em casa, então eles são selvagens e brigam, e às vezes eu me vejo – nunca vou dizer isso a *eles* –, mas mordo a língua e digo a mim mesma: "Meu Deus, como eu queria que eles desaparecessem." Por que eles estão aqui? Quem são eles? De verdade. Eu digo a mim mesma que eles estão me atrapalhando, que deviam ir embora. Acho que é algo mais intenso do que quando uma mãe está diante dos filhos descontrolados e diz: "Ah, estou esgotada e não tenho energia. Então tudo bem, podem correr enlouquecidos, uma hora vão se cansar."

Jackie (mãe de três filhos, um com idade entre 1 e 5 anos, e dois com idades entre 5 e 10 anos)

Eu digo a mim mesma que queria acordar e eles não estarem mais aqui. É algo que eu queria... Sei que não é certo dizer isso, mas...

Outras fantasias descritas pelas mulheres que participaram de minha pesquisa não faziam referência aos filhos desaparecerem, mas sim a remover *a si mesmas* da equação familiar (por vezes, fantasias das mesmas participantes).

Sophia (mãe de dois filhos com idades entre 1 e 5 anos)

Já me passou pela cabeça a ideia de deixá-los com o pai. Se eu fosse o homem da relação, e durante muito tempo fui – meu marido funcionava muito melhor do que eu em alguns momentos –, talvez eu tivesse ido embora. Eu me via querendo muito deixar as crianças com ele e ir embora.

Não fiz isso por duas razões. Primeiro, porque não é socialmente aceitável. Eu tive medo das reações, sabia que minha família não ia aceitar e que eu ia ficar sozinha no mundo. E, além disso, havia a culpa, que me corrói por dentro, por algo que fiz: eu os coloquei no mundo e agora tenho que encarar isso, mesmo que signifique que minha vida acabou. E eu sentia como se minha vida tivesse acabado, como se eu não existisse mais; precisava fazer isso porque não tinha escolha, porque eles precisavam de uma mãe, eu não queria traumatizá-los e não queria que tivessem a infância que eu tive, então não há remédio. Mas, se não me sentisse assim, eu teria ido embora, porque não queria ficar com eles.

Doreen (mãe de três filhos com idades entre 5 e 10 anos)

Doreen: Vou lhe dizer uma coisa: um dia, li um artigo sobre uma mulher cujo marido a deixou, e ela descrevia como ele foi embora. Ela disse: "Ele pegou o lixo, disse que ia colocá-lo para fora e nunca mais voltou." Não sei por que isso ficou na minha cabeça. Fico pensando no que aconteceria se eu fosse colocar o lixo para fora e nunca mais voltasse. Mas me sinto responsável. Ponto. Tenho consciência de que pagamos um preço por tudo que fazemos, e não quero... Isso passou pela minha mente muitas vezes. Especialmente agora, com o divórcio, eu poderia dizer a Eyal: "Você fica, eu vou." Era uma opção.

Eu: E por que você não fez isso?

Doreen: Porque acho que não conseguiria suportar a repercussão social... Não estou dizendo isso em ordem cronológica... E também, acho que as crianças ainda precisam de mim. Muito. E não estou usando isso como desculpa. Sou muito dominante, eles são muito ligados a mim. E, é claro, fica a pergunta: Como assim? Como é possível? Mas é. É como ser duas pessoas ao mesmo tempo. Às vezes, sinto como se tivesse esquizofrenia. E sei que não tenho. Mas, sim, há momentos em que eu digo a mim mesma: "Dane-se. Chega. [...] Se hoje eu tirar o lixo e nunca mais voltar, tudo bem, as crianças vão crescer, todo mundo cresce." No fim das contas, você supera, o mundo não para de girar. Mas você acaba pagando um preço. Talvez daqui a vinte anos eu tenha vontade de estar em contato com eles. Ou algo assim. Há sempre a matemática da vida. E insisto, porque acho que isso é o melhor para eles. Mas isso significa colocar os outros antes de mim.

Tudo bem. Eu digo a mim mesma que sou adulta, fiz uma escolha, vou arcar com a responsabilidade. Não penso em fugir dela, mas isso não torna as coisas mais fáceis, não diminui a *minha* dor.

Debra (mãe de dois filhos com idades entre 10 e 15 anos)

Eu estava enfrentando problemas em meu relacionamento, e uma das coisas nas quais pensei foi em ir embora. Estava claro para mim que, se eu fosse embora, faria isso sem as crianças. Quer dizer, os filhos são parte da relação, uma parte que, do começo ao fim, esteve relacionada com meu marido, então, se a relação fracassasse, estava claro para mim que as crianças iam ficar com o pai. Não porque eu não pudesse cuidar deles, mas porque não queria. Não é... Não vejo isso como algo natural para mim ou como algo que satisfaz as minhas necessidades, e se a razão para a existência deles, do começo ao fim, é ele, então não deveriam ficar comigo.

[...] Alguns meses atrás, fui a um terapeuta, e temos discutido diversas questões. Uma delas é a paternidade e a maternidade. Eu disse que, se não fosse pelos filhos, eu faria várias coisas, e ele disse: "Mas isso não é uma opção no seu mundo, porque você nunca vai abandonar seus filhos nem deixá-los em uma instituição ou em um colégio interno. Não porque isso não seja uma opção, mas porque você é uma pessoa responsável e leal e não se sentiria bem com isso." E ele estava certo. Não é uma responsabilidade que eu possa delegar a outra pessoa. Talvez, de alguma forma, o que me fascinava na ideia de divórcio fosse a possibilidade de abrir mão dos meus filhos. Isso era parte do atrativo. Pode soar perverso, mas era parte do atrativo que eu pudesse ter uma maneira de sair da maternidade, e essa forma seria entregá-los ao pai. Seria uma saída *incrível*. Não quero abrir mão do meu parceiro, eu o amo e ainda acho que ele é a pessoa ideal para mim, que não poderia encontrar companheiro melhor, mas isso me parece a solução para um problema e um sofrimento. Abrir mão do homem que eu amo para poder abrir mão dos meus filhos [risos].

Maya (mãe de dois filhos, um com idade entre 1 e 5 anos e outro com idade entre 5 e 10 anos, e grávida na época da entrevista)

Maya: Eu vejo filmes e leio livros sobre mães que não aguentavam mais, então foram embora. E... Não sei... Talvez isso esteja relacionado com o fato de eu ser adotada. É como um tabu, sabe? Que tipo de pessoa era minha mãe se foi capaz de fazer algo assim? E o que isso diz sobre mim, como filha dela? Entende? Penso sobre isso e concluo que não apenas eu nunca teria coragem de fazê-lo, mas, mesmo que tivesse, nunca seria feliz.

Eu: Você está se referindo a ir embora?

Maya: Sim, a ir embora.

Me: Quer dizer que pensa nisso às vezes?

Maya: Eu fantasio. É como ter fantasias sexuais que você sabe que nunca vão se realizar. Então é uma fantasia como essas, algo que você sabe que nunca vai fazer. Mesmo que digam que tudo está previsto, isso é algo que sei que nunca vou fazer. Só de pensar nisso, sinto meu estômago revirar. Imagino meus filhos perguntando: "Por que a mamãe nos deixou? O que nós fizemos? Nos comportamos mal?" E os imagino tendo todos esses pensamentos e não... não é... não posso permitir que isso aconteça. Não posso permitir. Então estou em um beco sem saída, relativamente [risos]. Não posso fazer uma coisa nem outra porque nas duas hipóteses estarei incompleta. Meus filhos existem, não há o que fazer.

Essas fantasias, tal como descritas pelas mães que participaram do estudo, podem ser compartilhadas por diversas mães e expressas de diferentes maneiras, como é possível observar na seguinte passagem, escrita pela socióloga americana Barbara Katz-Rothman, que relatava fantasias sobre perder os filhos de vista ao mesmo tempo que defendia a maternidade com base em seu amor por ela: "Como se pode ver, adoro ser mãe. Escrevo para fazer uma defesa apaixonada da maternidade. Já gritei com meus filhos, desejei estar longe, bem longe deles, senti raiva, frustração, momentos de puro ódio – todas as coisas que qualquer pessoa que esteja sendo honesta terá que admitir que fazem parte da maternidade. Mas eu a amo."[23]

O que distingue uma fantasia assim, que um número incontável de mães deve compartilhar, das que têm as mulheres deste estudo é que ao final há um "mas", em vez de um ponto final. Ainda que, para muitas mães, essas fantasias momentâneas de desaparecimento ou afastamento dos filhos possam fazer parte de uma experiência maternal desejada e apreciada, para outras, essas fantasias são parte intrínseca do arrependimento, já que elas desejam se livrar por completo de sua identidade maternal e recuperar a imagem de uma mulher que não é mãe de ninguém. Essa imagem, porém, permanecerá inalcançável, porque os filhos "já estão aqui", assim como a consciência de sua condição de mãe, o chamado existencial que está sempre em seu encalço, lembrando-lhes todos os dias e a cada momento que elas não podem ser mães de ninguém. Portanto, o desejo de se retirar da equação familiar existente é rejeitado, precedido pela manutenção do *status quo* na "matemática da vida", como definiu Doreen.

Há mães que compartilham com frequência esse sentimento, pois não veem saída nem possibilidade de ter uma folga de ser mães. Elas se sentem obrigadas a colocar as necessidades dos filhos antes de tudo e obrigadas também a ficar. Assim, além das fantasias de desaparecer, cada mulher ancora sua presença na família e na maternidade em uma narrativa de acordo com a qual ela não tem escolha, porque o bem-estar dos filhos está acima de tudo; ela então se vê obrigada a fazer desaparecer a fantasia em vez de si mesma. Nesse contexto, Sara Ruddick argumenta que as mães podem percorrer toda a gama de sentimentos que vai do amor profundo a um intenso desejo de se livrar dos filhos, mas o que conta são seus atos, e esses atos são resultado de seu comprometimento com a relação que têm com os filhos, seu amor protetor.[24]

MÃES ARREPENDIDAS

Uma boa questão, no entanto, é o que está sendo protegido por essa forma de falar sobre o amor: ele pode preservar o bem-estar atual e futuro dos filhos, de acordo com Ruddick, mas ao mesmo tempo preserva a ordem social. Uma mãe que decide viver longe dos filhos muda a ordem mundial; desvia dos parâmetros de movimento aceitos que o modelo de maternidade exigente dita. Assim, o fato de manterem o *status quo* e o violarem apenas em sua imaginação é algo que se origina das expectativas sociais, é obedecer à vigilância social e internalizá-la de maneira a garantir que a ordem mundial permaneça intacta, para satisfação daqueles que temem que ela venha abaixo. Essa garantia também é obtida por meio da culpa e do temor da indignação da família e da sociedade; uma indignação que as deixaria sozinhas: não apenas sem os filhos, como desejariam, mas também sozinhas para se defender das acusações de terem infringido as normas.

Os pais, por sua vez, recebem um tratamento distinto: ainda que homens que abandonam os filhos ainda sejam malvistos pela sociedade, eles não provocam a condenação feroz que recai sobre as mulheres. Quando pais se afastam dos filhos, há pouca comoção pública, e, de fato, muito mais pais deixam o lar depois da separação ou do divórcio do que mães. As mulheres que não moram com os filhos são marcadas e denunciadas ao mesmo tempo que são forçadas repetidas vezes a renunciar ao direito de serem chamadas de mães.[25]

Essa condenação é baseada na percepção uniforme, mítica e a-histórica de acordo com a qual as mulheres têm uma capacidade inata para a criação dos filhos que os homens não têm.

Por conseguinte, mulheres, homens, profissionais da área da saúde mental e agentes da lei muitas vezes eximem os pais de sua responsabilidade, reagindo com relativo silêncio ao fato de eles saírem de casa, algo pelo que as mães são denunciadas com alarde. Mas, algumas vezes, saem mesmo assim. As mulheres podem desejar, criar ou chegar a acordos que lhes permitam viver separadas dos filhos sem se arrepender do nascimento deles; e podem morar separadas deles como outra prática de arrependimento ou como um meio de superá-lo.*

Viver separada dos filhos

Ao longo da história e em diversas culturas, as mães que viveram separadas dos filhos, que foram criados pelo pai ou por outros membros da família, não eram examinadas com cuidado nem eram observadas através da lente da patologia. Quando, na Idade Média, mulheres cristãs, por exemplo, deixavam o lar e os filhos para viver em um convento e servir a Deus, elas eram reverenciadas e elogiadas em vez de serem qualificadas como imorais ou insanas.

Até hoje essa separação não é considerada necessariamente patológica e pode até ser encarada como óbvia por aqueles que se beneficiam dela em virtude de determinados arranjos sociais, políticos e econômicos. Em Israel, por exemplo, o fato de filhos viverem longe dos pais em kibutz era visto como parte de uma ideologia socialista. Trabalhadoras imigrantes também são bem-vindas atualmente em países ocidentais, mesmo que tenham deixado os filhos para trás, pois o olhar social se concentra nos benefícios que esse movimento proporciona para aqueles que dependem delas.

Esses poucos exemplos indicam que o fato em si de uma mãe se separar de seus filhos e ir para outro lugar foi construído ao longo da história por meio de diferentes interpretações, dependendo do

---

* Minha descrição seguinte de mães que vivem separadas dos filhos pequenos ou adolescentes contribui para a concepção social de que esse fato merece atenção especial apenas por se tratar de mulheres? Essa é uma possibilidade que levei em consideração, mas, ainda assim, acredito que é importante abordar as experiências subjetivas das mães que não queriam sê-lo e sua maneira de se relacionar com a ideia de viver separadas dos filhos à luz de percepções sociais que condenam essa decisão.

propósito ou daqueles a quem servia: era resultado de uma crença religiosa? Era por outro homem ou mulher? Pela sobrevivência econômica da família? Pela qualidade de vida de sua família em outro país?

Participaram do presente estudo mulheres que viviam longe dos filhos, que ficaram com o pai devido a diferentes circunstâncias. O filho de Tirtza tinha 2 anos quando ela foi para outro país, onde passou uma década.

Tirtza (mãe de dois filhos com idades entre 30 e 40 anos e avó)

Tirtza: Eu sabia que estava deixando meus filhos para trás. O mais novo tinha 2 ou 3 anos quando parti. Eu sabia que os estava deixando em boas mãos, por sorte. Eles ficaram no kibutz, com um pai maravilhoso. Eu sabia que os estava deixando em boas mãos, não poderia tê-los deixado em mãos melhores.

Eu: Você teve algum contato com eles nessa época?

Tirtza: Eu via as crianças quando ia visitá-los, quatro ou cinco vezes por ano. Eu os visitava, escrevia e telefonava para eles, e eles também me escreviam e ligavam para mim. Tenho certeza de que sofreram. Digo a mim mesma que foi melhor assim do que se eles ficassem com uma mãe que não queria nem se considerava capaz de ser mãe, que faria mal a eles apenas por estar lá, cuidando diariamente de crianças, algo que não a atraía nem lhe interessava. Sim. Sim.

Os filhos de Sky tinham mais de 6 anos e um deles era adolescente quando ela se divorciou. Ela disse que, durante o divórcio, o marido insistiu para que os filhos ficassem com ele, e ela não teve escolha a não ser ceder às suas exigências. Em retrospecto, se deu conta de que essa decisão foi congruente com sua relutância em ser mãe e de que talvez não tivesse se divorciado dele se tivesse que ficar com os filhos.

Sky (mãe de três filhos, dois com idades entre 15 e 20 anos e um com idade entre 20 e 25 anos)

Eu: Como as crianças foram viver com o pai?

Sky: Eu fiquei muito, muito fragilizada depois do divórcio. [...] Sabia que não tinha energia para cuidar dos meus filhos, que não ia conseguir dar conta deles, que não seria capaz de criá-los sozinha. [...] Hoje, eu sei, sei que na época não era capaz, e a verdade é que... não sei como teria feito isso. Não sei o que aconteceria se eles realmente tivessem que viver comigo. Nesse sentido, posso dizer que tive sorte. Como é que se diz? Você precisa saber de quem se divorciar? No meu caso, isso foi verdade. Confio no pai dos meus filhos mais do que em mim mesma, acho que ele cumpre seu papel. Digamos apenas que, naquela situação, eu não poderia esperar nada melhor. Sempre tento me consolar de alguma forma, pensando que talvez eles não tenham tido uma boa mãe, mas tiveram um bom pai. Espero que isso de alguma forma equilibre as coisas, o fato de terem herdado a segurança dele, o fato de que ele sabe como dar-lhes isso e de que para ele os filhos são o mais importante. Acho que sim... Que é completamente diferente. É sorte deles, e *minha*, mas principalmente deles.

Eu: Como as pessoas ao seu redor reagiram ao fato de as crianças terem ficado com o pai?

Sky: Essa é a questão. Imagino que as pessoas tenham dito coisas. Foi difícil para mim por causa do que a *sociedade* pensava. Isso mostra novamente que alguma coisa não estava certa, que você não é normal, como pode abrir mão dos filhos assim. Não é... não é normal. Os filhos sempre ficam com a mãe e de repente eles ficaram com o pai. Eu não tinha *nenhuma* energia. Além disso, queria acabar com aquilo o mais rápido possível, então concordei com tudo. [...] Depois do divórcio, senti que tinha feito a pior coisa possível. Eu ficava pedindo desculpas ao mundo pelo que tinha feito. Era essa a *sensação*. Eu não falava muito sobre o assunto. Felizmente, quando estava na terapia, podia falar sobre todas essas coisas. Mas falar sobre elas com o mundo? Eu agia como se estivesse tudo bem. Então, no fundo, não se tratou realmente de abrir mão de uma coisa, porque eu não cedi, eu não tive *escolha*. Se eu tivesse que ficar com as crianças, é possível que nunca tivesse me divorciado. Isso estava claro para mim. É claro que não posso dizê-lo em voz alta porque soa terrível. Soa profundamente terrível, como uma mãe pode...

Os filhos de Jackie tinham menos de 7 anos quando ela se separou do marido, e as crianças ficaram com ele depois que ela teve uma crise nervosa que levou à hospitalização. Jackie dizia que não tinha condições de cuidar dos filhos, mas preferia que o pai também não cuidasse deles, preferia que fossem criados por outra família. Não foi possível, e eles ficaram com o pai.

Jackie (mãe de três filhos, um com idade entre 1 e 5 anos e dois com idades entre 5 e 10 anos)

Eu: Você os vê?

Jackie: Uma vez por semana, durante uma hora. Pouco antes de você chegar, decidi tentar ficar para dormir com eles às sextas-feiras. Eu não durmo em casa... há quase dois anos, então decidi tentar. As crianças já estão na escola e querem atenção, então eu disse que vou tentar dormir uma noite por semana em casa.

Eu: Foi você que preferiu vê-los durante uma hora uma vez por semana ou queria outra coisa?

Jackie: Essa é a questão. Eu não queria ver meus filhos. Me vi obrigada a fazer isso; no início, ficava com eles por três ou quatro horas e me sentia muito cansada e irritada, então decidi reduzir o tempo. Demorou para meu marido concordar, para as crianças aceitarem, e a sociedade também. Por exemplo, minha família, à exceção da minha mãe, me rejeita por ter saído de casa. Não conseguem entender por que fiz isso. Minha cunhada não consegue entender como fui capaz de ir embora, como uma mãe pode abandonar os filhos. Ela não aceita o fato de que eu abandonei meus filhos. Simples assim. [...] Hoje estou feliz. Tenho medo de arruinar isso.

EXPERIÊNCIAS DE MATERNIDADE E PRÁTICAS DE ARREPENDIMENTO

Eu: Arruinar como?

Jackie: Hum... Talvez perder o controle e dizer que preciso voltar para casa para cuidar dos meus filhos. Esse é o meu maior medo. É algo que começa a se insinuar, porque de repente, quando me sinto melhor, me pergunto por que não volto a morar com meus filhos. [...] Quando eu saí [do hospital], eles me deram a opção de colocá-los para viver com outra família. E era isso que eu queria. Disse que eles mereciam ter uma mãe e um pai normais. Minha mãe brigou com unhas e dentes para que eles ficassem apenas em guarda parcial. Hoje, ela se arrepende de ter feito isso, porque vê que meu marido não está cuidando bem deles. É difícil para ele.

Eu: E você não pode mudar isso?

Jackie: Agora, meu marido não quer. Ele acha que já me perdeu e, se abrir mão dos filhos, vai ficar sem nada. E ele está certo. Porque, se ele abrir mão das crianças, eu nunca vou voltar para casa. Então... eu... eu abriria mão deles sem pensar duas vezes. Renunciaria a eles. [...] Minha mãe diz: "E se daqui a alguns anos você se arrepender e os quiser de volta e eles não quiserem voltar para você?" Devo dizer que, nos dois últimos anos de terapia, estou começando a me sentir um pouco melhor. E... temo que talvez um dia eu queira voltar e me sinta melhor e tudo mais.

Cada uma dessas mães se afastou dos filhos em circunstâncias de vida excepcionais e considerando as opções que tinha no momento. Tirtza teve a oportunidade de emigrar para outro país. Mas, apesar de ter sido Tirtza quem provocou a separação, Sky e Jackie descreveram circunstâncias que estavam além de seu controle: Sky ficou sem os filhos porque o pai insistiu em morar com eles, e Jackie ficou sem os filhos por causa de um colapso psicológico. E, embora cada uma delas tenha percorrido um caminho diferente até a separação dos filhos, para todas elas, o fato de os filhos terem ficado com o pai está intimamente ligado a sua relutância em ser mães, muito embora essa ligação possa ter se revelado *a posteriori*. Cada uma, à sua própria maneira, descreve a sensação de sufocamento diante da ideia de ter que continuar a cuidar dos filhos e viver sob o mesmo teto que eles.

No entanto, como já mencionado, a separação física não significa necessariamente despedir-se da consciência de ser mãe: todas elas partilhavam do sentimento de que essa consciência continua a ecoar em sua vida, mesmo que estejam vivendo separadas dos filhos. Esse eco carrega a consciência de suas limitações como mães, sabendo que tomaram uma decisão pragmática ao mesmo tempo que insistiam em continuar a cuidar do bem-estar dos filhos (ao reconhecer que o melhor para eles era ficar com o pai). Por continuarem acompanhando o presente e o futuro dos filhos enquanto estavam afastadas, os relatos dessas mães oferecem uma interpretação diferente da "boa maternidade", e até mesmo ajudam a minar suas rígidas determinações. Em outras palavras, às vezes, estar atenta às necessidades dos filhos pode muito bem significar viver separada deles, que serão mais bem-cuidados pelo pai do que pela mãe. Essa interpretação é substancialmente diferente da interpretação social, descrita por Diana Gustafson quando se referiu a uma mãe canadense cujos filhos ficaram com o pai: "Ironicamente, ao realizar o que ela considerava o ato generoso de uma boa mãe, essa mulher incorreu no que os outros viram como um comportamento impróprio para uma mãe."[26]

Outro exemplo de reações condenatórias por parte da sociedade pode ser encontrado em um artigo sobre a escritora Reiko Rizzuto, que decidiu viver separada dos filhos, que ficaram morando com o pai.[27] Esse artigo trouxe à tona o assunto de crianças que eram criadas pelos pais – e não pelas mães – nos Estados Unidos, o que causou uma grande revolta na rede, como demonstram as mais de 16.500 respostas on-line, a maioria das quais era bem parecida com estas:

EXPERIÊNCIAS DE MATERNIDADE E PRÁTICAS DE ARREPENDIMENTO

"Este é um dos exemplos mais tristes que já vi de nossa cultura moderna centrada no eu."

"Ela não passa de uma egoísta de merda! Quem alimenta as crianças? Quem as leva para a escola? Ser pai ou mãe não é um trabalho do qual você se demite porque prefere fazer outras coisas; você tem que ser responsável, vocês têm que ser as duas pessoas com as quais seus filhos possam contar. O que ela não menciona é a devastação causada nos filhos. Ela não perde por esperar."

"Quem em sã consciência vai concordar com ela? Essa idiota não merecia ter filhos."

Uma mãe alemã que saiu de casa também não foi poupada de duras críticas depois de tomar a decisão de não morar com os filhos:

Simplesmente não é possível que você, como mãe, deixe sua família. Que não fique com seus filhos. Dizem que não é natural que os filhos cresçam morando com o pai. Que eu devia corrigir o meu erro. Se eu não conseguia manter o relacionamento, tinha que pelo menos ficar com meus filhos.[28]

Essas reações e outras similares exemplificam a firme determinação da sociedade de que uma mãe deve permanecer sob o mesmo teto que seus filhos e nunca se mudar do domicílio da família, sejam quais forem as circunstâncias, apesar do sofrimento e das dificuldades, mesmo que ela admita sua incapacidade ou falta de vontade de cuidar dos filhos.

Para algumas mulheres, o ato de sair de casa é acompanhado do sentimento de culpa por não atenderem aos critérios que definem uma "boa maternidade". As mães que participaram deste estudo têm consciência de que seus filhos podem sofrer com sua partida, até mesmo anos depois, e continuam refletindo sobre sua decisão, mesmo que tenha sido dos males o menor, já que não podem retroceder no tempo e voltar a ser mães de ninguém. Desse modo, embora o ato de se afastar dos filhos seja considerado uma transgressão das limitações que definem o comportamento maternal, a distância que essas mães conseguiram colocar entre si e o tipo de maternidade que se esperava delas não é suficiente para desvinculá-las completamente de sua condição de mãe, algo que tinham esperanças de conseguir, tendo em vista seu arrependimento.

Ter ou não ter mais filhos

"Se essas mulheres se arrependem de ser mães, por que têm um segundo e por vezes um terceiro filho?"

Essa pergunta, formulada por vários blogueiros, tende a ser feita muitas vezes durante discussões sobre mães arrependidas. A resposta a ela revela, mais uma vez, uma variedade de experiências de vida que não podem ser facilmente reduzidas: enquanto muitas mulheres só sentiram o arrependimento anos mais tarde e depois de terem mais filhos, de forma que o segundo e o terceiro não nasceram sob esse sentimento, outras, de fato, resolveram ter outro filho apesar de seu arrependimento, e outras, ainda, deixaram de ter filhos devido a seu desejo de não ser mães em absoluto. Quer tenham continuado a ter filhos, quer não, a lógica que estava na base de sua decisão era tentar minimizar os danos dali em diante, de maneiras diferentes.

Pelo bem do primogênito. Em muitas sociedades impera a crença de que ter "apenas" um filho é forçosamente prejudicial e, portanto, imoral para com o primogênito.[29] Como consequência dessa crença, minimizar supostos prejuízos implica, entre outras coisas, ter como prioridade o bem-estar do *primeiro filho*, mesmo que a reprodução continuada cobre um preço altíssimo no que diz respeito ao bem-estar emocional da mãe. Foi por isso, por exemplo, que Maya disse que, a partir do momento em que se tornou mãe, não importava mais quantos filhos ia ter.

Maya (mãe de dois filhos, um com idade entre 1 e 5 anos e outro com idade entre 5 e 10 anos, e grávida na época da entrevista)

Não tive problema em engravidar de novo porque disse a mim mesma que já tinha caído no poço, então, se já estava lá, ia fazer as coisas do jeito certo. Depois que você tem um, dá na mesma ter três ou sete. Realmente não importa. Depois que você é mãe, acabou. [...] Eu já sou mãe, e nada vai mudar a maneira como me sinto. Depois *deste*, espero ter mais. Porque se sou... não vou dizer infeliz, porque em outros sentidos sou feliz, mas se nesse sentido sou infeliz, então minha família vai ser feliz, de um jeito ou de outro. Vou ter uma família grande e feliz e todos ficarão satisfeitos.

Portanto, quando o arrependimento começa a aparecer, o ponto de partida é ver, em retrospecto, que o número de filhos desejados é zero, mas como o primeiro filho já nasceu, isso não é possível. É como um jogo de soma zero: ou você é mãe ou você não é, e se você é mãe, então tem uma obrigação e uma responsabilidade, não importa quantos filhos estejam envolvidos.

Nesse mesmo sentido de compromisso e responsabilidade maternais, Grace disse que, embora não quisesse mais filhos além dos dois que já tinha, e apesar de se arrepender, talvez tivesse outro por causa da pressão exercida dentro de casa pelas crianças.

Grace (mãe de dois filhos, um com idade entre 5 e 10 anos e um com idade entre 10 e 15 anos)

Meus meninos querem outro irmão. Se um dia eu tiver outro filho, vai ser apenas por causa deles, porque estão me pressionando a satisfazer seu desejo. E eu acho que não é bom para eles não terem outro irmão, mas, para mim, é, muito. Se um dia eu ceder à pressão, vai ser apenas por isso.

Grace se refere a uma encruzilhada emocional na vida de uma família: o filho único (ou, nesse caso, os filhos "únicos") avalia sua vida em comparação com seus pares – que têm irmãos – e declara que já está farto de ficar sozinho. Essa sensação de estarem fartos de uma situação pode contrastar com a situação de suas mães, que sentem que, se estão fartas de algo, é da experiência maternal, e, portanto, não têm nenhum interesse em ter mais filhos. Assim, as mães podem se ver em encruzilhadas de desejos contraditórios, e em muitos casos esse conflito é resolvido pelos filhos, quando refletem a imagem internalizada de uma família padrão.

Consequentemente, a maternidade com frequência dá errado: muitas mães em geral e algumas das participantes desta pesquisa tiveram o primeiro filho porque queriam, mas depois se viram diante de ordens estritas vindas de fora e de dentro que determinavam que deviam continuar procriando mesmo que não quisessem. Se voltarmos por um momento aos diferentes caminhos que levam à maternidade, parece que as mulheres podem ter um filho por livre e espontânea vontade porque assim desejam, mas isso pode levá-las a ter mais filhos por motivos distintos, e por vezes com relutância.

Depois que a decisão de ter mais filhos para o bem do primogênito é tomada, a questão seguinte é o momento oportuno para tê-los. Nas palavras de algumas das entrevistadas:

Naomi (mãe de dois filhos com idades entre 40 e 50 anos e avó)

Tive dois filhos um após o outro porque disse a mim mesma "O que tiver que ser será", e em ambos os casos foi um acidente. Eu dizia a mim mesma que era bom que houvesse apenas alguns anos de diferença, assim eu poderia deixar a procriação para trás e me dedicar ao que realmente me interessava.

EXPERIÊNCIAS DE MATERNIDADE E PRÁTICAS DE ARREPENDIMENTO

Grace (mãe de dois filhos, um com idade entre 5 e 10 anos e um com idade entre 10 e 15 anos)

Estava claro que eu tinha que ter outro filho, porque sim. Porque você não pode ter apenas um. Dois anos e meio depois, eu disse a mim mesma: "Tudo bem, vamos acabar logo com isso."

Esses relatos são como o som dos ponteiros de um relógio tiquetaqueando bem no meio da sala de uma família, que desempenha um papel na decisão sobre ter ou não outro filho. Frases como "Vamos acabar logo com isso" e "Vamos formar logo uma família" expressam um desejo de que quanto menor for a diferença de idade entre os filhos, mais rápido vão passar os primeiros anos, que provavelmente serão os mais duros.

A percepção é de que quanto mais rápido a casa se encher, mais rápido ela vai se esvaziar. Quanto mais cedo a mãe deixar de lado seu tempo pessoal em nome do tempo familiar, mais rápido vai tê-lo de volta. Portanto, ao ter os filhos em sequência, o que desejam algumas das entrevistadas é acabar com a maternidade o quanto antes, ainda que ao mesmo tempo saibam que se trata de uma história interminável.

A discrepância entre a maternidade que nasce com o primeiro filho e o arrependimento diante dela pode levar a um de três caminhos: a mulher pode decidir ter mais filhos o quanto antes, a fim de limitar o período da infância, como já explicado; pode optar por adiar o momento de ter outros filhos porque não quer cometer o mesmo erro de novo; ou decidir não adiar nem apressar a procriação, mas simplesmente evitá-la.

Aprender com a experiência. De acordo com um estudo do Centro de Informação e Pesquisa do Parlamento israelense, realizado em 2010 em todos os países-membros da Organização para a Cooperação e Desenvolvimento Econômico, o número de filhos que as mulheres desejavam ter era maior do que o número de filhos que tinham de fato, devido à falta de capacidade econômica ou à falta de sistemas de apoio, entre outros motivos.[30]

Outra pesquisa sobre o assunto indica que às vezes a discrepância entre o número de filhos desejados e o número de filhos real pode se dever a fatores como a experiência. Um estudo conduzido por pesquisadoras australianas sob o comando de Donna Read, por exemplo, revela que a experiência de uma mulher e sua percepção da maternidade têm um papel substancial na hora de tomar decisões quanto ao tamanho da família e à reprodução continuada. As mães australianas que participaram do estudo afirmaram que saber o que lhes reservava o futuro e como se esperava que elas se comportassem como mães serviu de base para decidirem quantos filhos queriam ter. De acordo com as pesquisadoras, muitas mães tendiam a querer menos filhos do que tinham planejado inicialmente depois de vivenciarem o que significava ser mãe.[31] A importância da experiência está muito bem exemplificada na Alemanha, onde pode ser observada uma diferença significativa entre as mulheres que já são mães e as mulheres que ainda não são no que diz respeito ao desejo de ter filhos: três quartos das entrevistadas que têm um parceiro mas ainda não são mães desejam ter um filho, porcentagem que se reduz para menos de um quarto das que têm um parceiro e já têm um filho ou mais.[32]

Enquanto as mulheres no estudo de Read falavam em comoção e atordoamento após o nascimento do primeiro filho, muitas das mães que participaram do presente estudo manifestaram arrependimento em relação à maternidade durante anos depois do nascimento do primeiro filho até os dias atuais, de forma que decidiram não ter outros.

Grace (mãe de dois filhos, um com idade entre 5 e 10 anos e um com idade entre 10 e 15 anos)

Eu: Há alguma implicação prática desse arrependimento?

Grace: Para mim, a implicação prática se reflete em não ter outro filho agora. Em relação ao que deveria acontecer [emprega um tom cínico], não se espera que meu filho mais novo tenha 7 anos e meio e eu ainda não tenha um terceiro. É um resultado *direto* disso. Na prática, isso se expressa em não ter outros filhos. [...] Se você tivesse me perguntado 15 anos atrás, eu teria respondido que queria ter quatro filhos.

Rose (mãe de dois filhos, um com idade entre 5 e 10 anos e um com idade entre 10 e 15 anos)

Eu: Antes de se tornar mãe, você pensava no número de filhos que queria ter?

Rose: Eu pensava em três ou quatro.

Eu: [...] O arrependimento se reflete na prática?

Rose: Em termos gerais, sim; não pretendo ter mais filhos, mesmo que meu marido queira.

Liz (mãe de um filho com idade entre 1 e 5 anos)

É curioso; vejo meu filho, que me diz "Mamãe, eu quero um irmãozinho", e eu respondo "Não vai acontecer", mas acrescento "Quando crescer, você pode ter filhos se quiser" [risos].

[...] Eu não vou ter mais filhos. Definitivamente não. Hoje, quando as pessoas dizem "Você não sabe como é ter três", eu respondo: "Sim, sim, sim. Nem me fale. É verdade, eu não sei nem quero saber. Se você quiser ter três, dez ou uma centena, vá em frente e faça bom proveito." Não venham me dizer que eu não sei como é. Não caio nessa, sabe? [...] Na minha cabeça, porque sou uma pessoa aberta e quero cogitar outras possibilidades, tentei imaginar como seria ter dois, realmente tentei, de todos os ângulos possíveis. Nem pensar. Sério. Não. É mais fácil para mim dizer isso agora porque sei do que estou falando. É difícil ser tão categórica antes de ter experimentado.

MÃES ARREPENDIDAS

Jasmine (mãe de um filho com idade entre 1 e 5 anos)

Separei as roupas do meu filho do ano passado que não cabiam mais para dar a uma amiga. Minha mãe disse: "Não faça isso, você pode ter mais filhos." E eu respondi: "Mãe, não vou ter mais filhos. Já chega. Não vou ter mais. Tenho certeza."

[...] Tento nunca ser tão categórica, e evito dizer "nunca", mas sei o que sinto, o que sinto em relação ao processo pelo qual passei. Não quero ter mais filhos. Não suporto essa ideia, eu estaria fazendo mal à criança.

O arrependimento é como uma balsa temporal que transporta sua portadora do que foi para o que poderia ter sido; ele a leva a pensar sobre o futuro à luz das experiências passadas. Dessa maneira, arrepender-se da maternidade pode bombardear a imagem social de acordo com a qual ter o primeiro filho deveria suscitar necessariamente o desejo de ter mais filhos e ampliar a família. Em vez de seguir a concepção vigente de que "você não vai saber até tentar", essas mães insistem que, uma vez que já tentaram, elas agora sabem e, portanto, deveriam aprender com a experiência.

Entretanto, seu conhecimento adquirido e sua experiência não são aceitos por seu ambiente, e elas são confrontadas de maneira sistemática com tentativas de convencê-las do contrário dizendo: "Tente de novo e vai ser diferente." Esses esforços para persuadi-las mostram que, a fim de manter a ordem social, nossa sociedade com frequência nega a existência e o significado da decepção, sentimento despertado quando algo que esperávamos ou desejávamos não se realiza. Dessa maneira, nossas sociedades modernas intensificam a decepção, mas ao mesmo tempo nos encorajam a negá-la para que a ordem social possa perdurar. Continuamos obrigando as pessoas a se encaixar em um modelo, querendo moldá-las da forma pertinente sem lhes dar as ferramentas para lidar com a dor, o sofrimento e o luto que derivam da decepção.[33]

Assim, em uma sociedade incapaz de abordar a decepção em termos gerais e em especial no que diz respeito à maternidade, as mulheres que se recusam a continuar a se reproduzir ouvem repetidas vezes que devem superar seu desapontamento e tentar mais uma vez, a fim de reparar os erros do passado. Essa interpretação chega a ser internalizada pelas próprias mulheres, como expõe Rose:

> **Rose (mãe de dois filhos, um com idade entre 5 e 10 anos e outro com idade entre 10 e 15 anos)**
>
> Quando decidi ter o segundo filho, queria que essa experiência compensasse a primeira. E a gravidez foi melhor, eu usava roupas justas, falava sobre o assunto... Queria e esperava que as coisas fossem diferentes, e foram, em parte; meu marido me apoiava, eu fazia terapia, queria reparar minha experiência como mãe. Provar para mim mesma que não tinha falhado, que tinha conseguido. Eu achava que bastava ser mais velha, estar mais preparada, mas depois da euforia veio a verdadeira batalha.

Para outras mulheres, no entanto, enfrentar a decepção não necessariamente vai conduzir à reprodução continuada, mas, ao contrário, as levará a insistir em interrompê-la. Na opinião delas, a experiência passada, que continua a assombrá-las no presente, não pode ser apagada por outro nascimento. Sua decepção, sua experiência e seu conhecimento não coincidem com as expectativas externas, com o mito de que no fim das contas vão se convencer de que a maternidade é benéfica, de que elas vão superar.

5. Quem é você, mãe? As mães arrependidas entre o silêncio e o discurso

> "Não dá para falar sobre isso com a maior parte das pessoas. Porque elas não entendem, porque lhes parece uma verdadeira ameaça, ou porque não estão interessadas. Elas assumem rapidamente uma postura ofensiva. É muito difícil para as pessoas ouvir essas coisas [...]. Há pouquíssimas pessoas com quem posso falar sobre esse assunto abertamente. Quase nenhuma."
>
> *Sky (mãe de três filhos, dois com idades entre 15 e 20 anos e um com idade entre 20 e 25 anos)*

Nas últimas décadas, houve mudanças na forma de falar sobre a maternidade e os sentimentos que ela desperta. Se antes a figura da "boa mãe" era uma barreira que impedia as mulheres de admitirem suas limitações no que dizia respeito à criação dos filhos e levava muitas a esconderem o que sentiam, nas décadas recentes as muralhas em torno do mito estão aos poucos desmoronando. Cada vez mais mães fazem valer seu direto de expressar decepção, hostilidade, frustração, tédio e ambivalência, embora se espere delas harmonia e serenidade.

Essas mudanças são resultado, entre outros fatores, de transformações mais importantes que caracterizam a época atual: hoje em dia, cada vez mais grupos sociais demandam ter voz como agentes culturais, uma voz com a qual negociam sua situação e seus direitos, uma voz que lhes permite ativar novos processos. Mas, mesmo com essas mudanças, que alteram os limites daquilo que pode ou não ser expresso, e embora expressar sentimentos em torno da maternidade mais complexos do que a pura alegria e contentamento seja cada vez mais visto como algo inerente à experiência da maternidade e suas circunstâncias por natureza conflituosas, as vozes das mães que se sentem insatisfeitas, confusas ou desiludidas ainda sofrem censuras e condenações.

Em abril de 2013, por exemplo, a publicação de um artigo escrito por Isabella Dutton, uma mãe e avó inglesa que se arrepende de ter tido filhos, suscitou milhares de comentários como os seguintes:

> Que mulher mais cruel, insensível e egoísta! É inacreditável, e tenho muita pena dos filhos dela, que sem dúvida poderiam ter lido esse artigo. Me horroriza pensar em como eles devem estar sofrendo, especialmente por ver isso impresso para que todas as pessoas também leiam!!! É realmente horrível e muito triste. Fico imaginando o que o marido pensa dela! Ainda bem que os filhos têm um pai amoroso que cuida bem deles!
>
> Que coisa horrível de se admitir! Por quê? Você não podia guardar isso para si? Coitados dos seus filhos.[1]

É preciso dizer que Isabella Dutton sofreu represálias por ter revelado seu arrependimento sem esconder o nome e o rosto. Mas discutir o arrependimento materno sob pseudônimo, com um anonimato que preserve os filhos de saberem, não evitou esse golpe, como pode ser visto nos comentários ao debate sobre o arrependimento diante da maternidade na Alemanha:

Qual vai ser a próxima coisa da qual vamos nos arrepender publicamente e discutir na internet por meio de hashtags, enquanto estamos mergulhados em autopiedade? [...] Deem um jeito em suas vidas, é o que eu gostaria de dizer a todos esses pais e mães. Não é decente colocar nos filhos a culpa do desastre que é a sua vida. É muito simples jogar a responsabilidade pelas lamúrias no bebê.[2]

Mas dizer em público [...] que você não teria seus filhos de novo se pudesse escolher, e que você se arrepende profundamente de ter se tornado mãe... Eu acho alarmante. Não pelas outras mães ao seu redor, nem pelos parceiros, amigos, vizinhos. E sim para os filhos. Porque um dia eles vão ler esses textos e saber que suas mães não os teriam se pudessem. Como se sentiriam? Ao ler que são o maior desastre na vida da mãe.[3]

O fato de que não importa se os filhos são expostos ou não à opinião pública depois do relato de suas mães – quer elas exponham sua identidade real, quer usem um pseudônimo – sugere que há algo mais sob a superfície dessas condenações. Elas reafirmam velhas "verdades" sobre a maternidade de acordo com as quais não se deve falar de experiências maternais angustiantes, pois elas são consideradas indecentes e vistas como sintoma de que a mulher sofre de uma patologia. Julgar essas mães "rebeldes" é consequência de uma visão tradicional e hierárquica de acordo com as quais as experiências femininas têm menos valor e são culturalmente inferiores, de forma que se espera que suas experiências subjetivas – tanto como mulheres quanto como mães – permaneçam silenciadas ou pelo menos se reestruturem de acordo com as expectativas da sociedade.[4] Além disso, mulheres e mães estão sendo condenadas devido a uma percepção social cada vez mais ampla de que vivemos em uma "era de lamentações", em meio a uma suposta epidemia de autocomplacência. Assim, *precisamente porque* agora cada vez mais grupos sociais diversos têm "permissão" para falar a fim de minar o "curso natural" das disposições sociais opressivas, é insuportável ouvir o que as mães têm a dizer sem tachá-las de "pessoas egoístas, insanas e exageradamente fracas".

Nesse estado de coisas – no qual a ilusão coletiva é de que o arrependimento continue sendo um sentimento de culpa secreto das mães, resultado de um fracasso pessoal que não tem nenhuma relação com ninguém mais além delas próprias –, não surpreende que as mulheres que se arrependem de ser mães enfrentem um medo tremendo de falar sobre isso em casa, com a família e os amigos, e no ambiente de trabalho.

Tentar falar, ser silenciada

Conheci Tirtza em março de 2011, quando ela me ligou para me perguntar se eu ainda estava fazendo entrevistas para a pesquisa. Ela lera a respeito em um jornal israelense e queria participar. Alguns dias depois, fui até sua casa, em uma pequena cidade no centro de Israel, onde ela vive sozinha. Os filhos não moram mais ali – já passaram dos 30 e têm suas próprias casas. Ambos têm filhos, e, portanto, Tirtza, que tem 57 anos de idade, já é avó de dois netos.

Sentamo-nos na cozinha para começar a entrevista e, na verdade, não paramos mais de nos falar desde então.

Uma das primeiras coisas que Tirtza me contou foi que trabalha em um hospital. Ao longo de nossa conversa, ela mencionou diversas vezes suas tentativas de falar sobre o arrependimento com seus colegas de trabalho, mas não encontrou ninguém disposto a ouvi-la.

Tirtza (mãe de dois filhos com idades entre 30 e 40 anos e avó)

Estou o tempo todo rodeada de bebês, mães e pais e tratamentos reprodutivos, então sei que muitas mulheres pensam como eu, mas não têm coragem de dizer isso a si mesmas nem às pessoas mais próximas delas. Compreendo a dificuldade. Entendo. É difícil para mim também.

É difícil se livrar do que está estabelecido, da romantização da maternidade e da paternidade quando são acompanhadas de uma ideologia social e política.

Quase todos os meus colegas de trabalho são médicos e não entendem o que quero deles, do que estou falando. Para eles, sou uma espécie de animal exótico, para não dizer uma pervertida e outras coisas assim. Sim, é assim que me veem. Quando começo a falar sobre isso, mesmo que de forma breve, todos tratam de evitá-lo e fogem. Mudam de assunto e tentam me reprimir, rejeitando o que sinto. Meus pensamentos não têm lugar no nosso departamento. É um departamento que possibilita e estimula nascimentos, e meus pensamentos são censurados. É uma pena, porque muitas pessoas não entendem o que estão fazendo, nem querem entender; são como avestruzes que enterram a cabeça na areia, movendo-se pelo poder da inércia.

Até hoje Tirtza diz que sua visão da maternidade a deixa marginalizada no trabalho. Ninguém entende. Ninguém *quer* entender.

Esse sentimento era partilhado por diversas mães que participaram do estudo, que tentavam falar sobre o assunto com o marido, os amigos e outros membros da família, como as mães e irmãs, assim como na terapia:

Brenda (mãe de três filhos com idades entre 20 e 25 anos)

Quando tentei contar às minhas amigas, fui imediatamente silenciada. "Como pode dizer isso? Você deveria ser grata pelo que tem." Que golpe, pensei comigo mesma. Fique quieta, murmurei, ou eles vão hospitalizá--la. Aceite e continue a viver essa felicidade fictícia, use uma máscara, como todo mundo, e continue com o jogo. É muito provável que algumas delas, se não todas, estejam passando pelas mesmas coisas, mas não tenham coragem de dizer.

Sophia (mãe de dois filhos com idades entre 1 e 5 anos)

A psicóloga com quem estamos nos tratando sabe que eu tenho essas fantasias [de apagar a maternidade], mas acho que não as leva muito a sério. [...] Meu marido imediatamente entra em pânico; ele não quer que ninguém saiba. Quer que eu pareça normal, como todo mundo. [...] Quando escrevi em um fórum na internet algo como "minha vida terminou", me tornei alvo de severas críticas. Era difícil para algumas mães ouvir isso, e as respostas foram duras. Muitas mulheres grávidas no fórum tinham medo de sentir o mesmo, então imediatamente depois da minha mensagem abriram outro tópico que as animasse.

O medo de serem silenciadas e consideradas uma aberração é uma das razões por que algumas das mulheres que participaram do estudo não tinham nem ao menos tentado falar sobre isso antes da entrevista. Outra razão para seu silêncio autoimposto era o medo de atrapalhar a vida daqueles que amavam e o desejo de protegê-los para que nada soubessem.

Maya (mãe de dois filhos, um com idade entre 1 e 5 anos e outro com idade entre 5 e 10 anos, e grávida na época da entrevista)

Meu marido não sabe, assim como nenhuma das minhas amigas. Não quero jogar esse peso sobre os ombros dele. Se ele souber, como vai ser? Vai dizer que tem uma mulher infeliz? Não preciso disso. Ele já tem coisas demais com as quais se preocupar, trabalha muito. Sua vida já não é fácil, não quero impor-lhe mais isso. Então é algo que guardo para mim. Não falo sobre isso com ninguém.

A questão de falar abertamente ou não sobre o arrependimento, e com quem, em particular, ocupava a mente de muitas das mulheres. Várias participantes disseram que de fato falavam sobre o assunto com as pessoas em seu entorno.

Odelya (mãe de uma criança com idade entre 1 e 5 anos)

Com minhas irmãs, falei de forma explícita. Sim. Elas sabem que eu me arrependo. Uma vez, eu disse com todas as letras para uma de minhas irmãs: "Olha, você sabe o que penso e como me sinto, e se puder me ajudar, me ajude." E ela me ajuda. [...] Minhas irmãs entendem.

Bali (mãe de uma filha com idade entre 1 e 5 anos)

Bali: Minha mãe sabe, e meu companheiro também. Eles sabem como é difícil para mim, como me custa. [Ela fala enquanto brinca e conversa com a filha pequena.]
Eu: E nos círculos menos íntimos?
Bali: Eles não sabem.
Eu: Por quê?
Bali: É difícil admitir. É considerado algo... É uma vergonha, na verdade. Eu tenho vergonha.

Diversas mães mencionaram que a maneira mais eficaz de falar sobre o assunto era com humor, sem expressar as coisas com afirmações diretas como "eu me arrependo de ser mãe". Sua maneira de evitar ser criticada era rir de seu sofrimento, de forma que outras mães também pudessem expressar suas dificuldades sem chamá-la de arrependimento, ou para mandar uma mensagem às mulheres que ainda não são mães.

Charlotte (mãe de dois filhos, um com idade entre 10 e 15 anos e outro com idade entre 15 e 20 anos)

No meu trabalho, de início, as pessoas ficaram surpresas. Eu as fazia rir muito. Porque sabem que eu exagero de propósito. Que aquela era minha forma de lidar com a situação. E me dei conta de que só quando falo com as pessoas e coloco logo todas as cartas na mesa, é que elas se permitem [falar]. De repente as coisas que elas escondem lhes parecem menos horríveis. [...] Então falo abertamente como uma forma de me defender, de proteger a mim e aos meus filhos.

Odelya (mãe de um filho com idade entre 1 e 5 anos)

Eu: Quem são as pessoas com que você se sente à vontade para falar a respeito?

Odelya: As meninas que estudam comigo. São mais jovens e muito curiosas, então querem saber por que eu me sinto assim. Elas não entendem.

Eu: O que você diz a elas?

Odelya: Que, se naquela época eu soubesse o que sei hoje, provavelmente não teria filhos. E quando elas falam em ter filhos, eu digo: "Esperem. Não tenham pressa." É o que digo a elas o tempo todo. Às vezes com outras pessoas, eu me abro e tenho vontade de dizer alguma coisa, mas logo desisto porque sei que é melhor não cruzar essa linha, você sabe...

Carmel (mãe de um filho com idade entre 15 e 20 anos)

Tomo muito cuidado com as pessoas com quem falo sobre isso, mas não escondo de verdade. É curioso, porque sempre que falo com uma mulher que não quer ser mãe, imediatamente a encorajo e digo que é uma excelente escolha, que a apoio. Que acho que ela está certa.

Sophia (mãe de dois filhos com idades entre 1 e 5 anos)

Sempre analiso o terreno antes de falar. Agora posso tratar disso com total liberdade porque esse é o seu objetivo, e mesmo que pense algo de mim, não vai me dizer. E está em uma posição diferente porque não é mãe. Se você fosse mãe, ia comparar imediatamente com a sua situação. É muito estressante para pais e mães falar sobre esse assunto. Você entende?

Eu não falaria sobre isso com a primeira pessoa que aparecesse. Depois que verifico o terreno e vejo que está tudo bem, eu falo, e as pessoas aceitam como qualquer outra opinião. Logo me contam sobre seus parentes que não têm filhos. Faço isso quando meu marido não está por perto, porque ele fica incomodado quando falo sobre esse assunto. E eu entendo, porque, se eu estivesse tão feliz com as crianças como ele está, e meu companheiro dissesse que não os queria, eu também teria dificuldade de aceitar.

Algumas semanas depois de meu primeiro encontro com Tirtza para entrevistá-la, recebi uma longa e detalhada carta dela. Ao longo de oito páginas, ela tentava esclarecer outras coisas que gostaria de ter compartilhado durante a entrevista, mas não conseguiu:

> Enquanto tento escrever (ou melhor, organizar meus pensamentos) e explicar minha reação pessoal de ter me arrependido de ter tido dois filhos, me dou conta, é claro, de como as palavras reduzem, enfraquecem e se distanciam da dolorosa verdade. Mas não há nenhuma outra maneira de se comunicar a não ser por palavras. (Não há. Ou há? Talvez dançando.) As palavras fazem com que o preço mais insuportável seja suportável.

Essas palavras, com as quais as mulheres buscam uma forma de lidar com uma postura emocional que pode ser um tormento e que é encarada socialmente como perigosa, se intensificam quando se trata de discutir o tema com os filhos.

"Os filhos sabem?"

Durante os últimos oito anos de estudo sobre o arrependimento de algumas mulheres diante da maternidade, me perguntei diversas vezes se elas diziam algo a respeito para seus filhos. Como vamos ver, a resposta é bem mais complexa do que "sim/não", mas o que mais me intrigou foi me dar conta de que quem pergunta quase sempre deseja ouvir uma resposta negativa – que elas não falam sobre isso em casa, já que esse é o pior de todos os males, uma prova definitiva de como são mães ruins, por vezes ainda pior do que o fato de arrepender-se da maternidade em si. A única cena que parece vir à mente diante desse assunto terrível é aquela na qual a mãe berra para seus filhos com olhos cheios de ódio, apenas em nome de suas necessidades mais egoístas, que se arrepende de tê-los dado à luz, porque eles arruinaram sua vida, sem levar em conta como isso pode afetá-los e suas relações familiares.

Essa única cena predominante pode ser vista nas seguintes palavras de preocupação: "Ninguém deveria ouvir da própria mãe que não foi desejado. Isso é cruel, injusto, desumano."[5]

Essa cena pode muito bem ter uma dose de realidade. A filha de uma mulher que se arrependeu de ser mãe escreveu um relato profundo sobre o tema:

Não é nada fácil, depois do nascimento, dizer para os filhos que a existência deles na vida da mãe foi um erro. É preciso não apenas coragem, mas também uma boa dose de frieza emocional, como é comum em transtornos de personalidade. Peço a Deus que esses filhos nunca ouçam o que suas mães dizem sobre sua existência, mas tenho certeza de que todos eles sentem que não foram desejados, que não deveriam existir, que não deveriam estar vivos para que suas mães se sentissem melhor.

[...] Eu sou filha de uma mãe assim. Uma mãe que me culpava mesmo quando eu era pequena por sua vida não vivida, que gritava comigo: "Se você não estivesse aqui, minha vida teria sido diferente, hoje eu seria feliz." Isso me tirava o chão e colocou um peso sobre as minhas costas do qual estou tentando me desvencilhar até hoje. Levei muito tempo para entender como minha mãe deve ter sofrido e como ela mesma deve ter ficado impotente e sem chão, para se sentir dessa maneira. Agora sei como ela era imatura quando me teve...[6]

Não posso nem quero ignorar esse relato doloroso de uma mulher-filha que precisou suportar o sofrimento da mãe sem que tivesse culpa de nada. Suas palavras precisam ser ouvidas, em alto e bom som. No entanto, outras cenas podem basear-se em todo um espectro de possibilidades que constitui as relações intergeracionais entre mães e filhas, como pode ser visto nas palavras a seguir, da filha de uma mãe arrependida.

Quando eu tinha cerca de 12 anos, minha mãe me disse que se arrependia de ter me dado à luz. "Espero que você pense bastante antes de ter filhos", disse ela em uma manhã amena de verão. "Se eu tivesse que fazer tudo de novo, tenho certeza de que não teria filhos."

Ai.

Aos 12 anos, essas palavras doeram. Não fazia ideia do que ela queria dizer nem por que tinha falado aquilo. Será que ela realmente desejava que eu nunca tivesse nascido? Só agora, vinte anos depois, já com três filhos, é que entendo o que minha mãe quis dizer. Não é que ela não me amasse. Não é que ela desejasse que eu não tivesse nascido. É que ela sabia que, depois de se tornar mãe, sua vida nunca mais seria inteiramente sua de novo.[7]

Em meio a essa estrutura frágil que constitui o dilema entre dizer ou não algo a respeito, as mães podem se perder; por estarem emocionalmente desorientadas ou devido a várias outras razões possíveis além de querer culpar os filhos sem levar seu bem-estar em conta.

A acadêmica britânica-australiana Sara Ahmed sugeriu comparar a experiência de desorientação social e emocional com entrar em um quarto escuro ou entrar em um recinto de olhos vendados. Se o ambiente é familiar porque já estivemos lá antes, podemos estender os braços, tateando os objetos e determinar o que está diante de nós. A familiaridade prévia permite que nos orientemos no espaço. Mas, se não conhecemos o ambiente, os objetos que tateamos podem não nos ajudar a navegar. Não saber mais sobre o que está diante de nós pode nos deixar inseguros e incapazes de decidir para que lado se voltar. Esses momentos de desorientação, portanto, são necessários, pois é precisamente nessas horas – quando estamos "tateando no escuro" – que a ideia comum da vida como uma linha reta é questionada.

Esses momentos podem revelar que talvez o terreno onde estávamos pisando era instável, e mais: são esses momentos que permitem o acesso de outras possibilidades a nossa imaginação.[8]

Sem referências externas que indiquem para onde ir quando se arrependem da maternidade e ao mesmo tempo desejam fazer a coisa certa, muitas mães acabam se vendo sozinhas e podem se sentir perdidas em um quarto escuro sem ter como se orientar. Podem então empreender uma exploração experimental dos caminhos possíveis, seguindo um roteiro que não existe. Como vamos ver, todas as mães participantes deste estudo tentam encontrar suas próprias soluções para o dilema de falar ou silenciar sobre o arrependimento; expressá-lo de forma explícita ou falar sobre ele indiretamente ao discutir as dificuldades da maternidade, avaliar se ela vale a pena e refletir sobre a possibilidade de não ter filhos.

Para proteger: Silenciar sobre o arrependimento

Para algumas das mães que participaram do estudo, a decisão de não falar com seus filhos sobre sua experiência com a maternidade e o arrependimento se origina de um triângulo de desejos: proteger os filhos, proteger o vínculo com eles e proteger a si mesmas.

Sophia (mãe de dois filhos com idades entre 1 e 5 anos)

Por que não participei do fórum? [O fórum israelense na internet "Mulheres que não querem filhos".] Eu quase participei muitas vezes, mas [...] tenho medo de que eles cresçam e leiam. Essa possibilidade me assusta. É claro que posso usar um nome falso, mas tenho medo de eles descobrirem que eu não os queria. É claro que eles sabem, os filhos sabem de tudo. Eles leem a minha mente; tudo aquilo por que eu passo, eles passam comigo. São sensíveis para esse tipo de coisa. Mas não quero que eles leiam. A verdade é que, se eu não tivesse filhos, estaria escrevendo um livraço agora, um artigo em cada jornal – falaria abertamente sobre isso e diria que esse fenômeno existe. Mas tenho muito medo de magoar meus filhos.

Brenda (mãe de três filhos com idades entre 20 e 25 anos)

Não tenho nenhum problema [com o fato de eu citar suas palavras], faça da forma que quiser, com a condição de que assinemos um contrato dizendo que meus dados realmente vão permanecer confidenciais. [...] Não quero que meus filhos leiam que, se a mãe deles pudesse escolher, não teria nenhum deles, e que, em retrospecto, se arrepende – principalmente porque já faz muitos anos que eles não têm pai. Como eles iam se sentir, depois de já terem sido abandonados pelo pai, ao saber que sua mãe supostamente também não os queria? Pode imaginar uma coisa dessas?

Carmel (mãe de um filho com idade entre 15 e 20 anos)

Eu: Alguém próximo sabe sobre seu sentimento de arrependimento? Sua família sabe?

Carmel: Humm... Talvez eles saibam, desabafei sobre isso algumas vezes, mas não converso com eles sobre essas coisas. Muitas pessoas sabem. Não chego a esconder, sinceramente. Tomo cuidado com as pessoas com quem falo sobre isso, mas não chego a esconder de fato. É curioso, porque, quando me deparo com uma mulher falando sobre isso, na mesma hora a encorajo. Digo: "Ótimo, muito bom. Muito bom. Continue assim." É muito curioso. Eu me apresso em encorajá-la.

Eu: Está se referindo a uma mulher que não quer filhos?

Carmel: Sim.

Eu: O que você diz a ela?

Carmel: Que está tudo bem, que eu a apoio. Que acho que ela está certa.

Eu: Você diz isso ao Ido [seu filho] também?

Carmel: Não. Não. Não há motivo. Mas digo a ele que fico feliz por não ter mais filhos. Mas não disse a ele, humm... Pode ser que alguma vez eu tenha dito a ele que hoje em dia não teria filhos por causa de como as coisas estão em Israel, ou algo assim, mas nunca disse nada a ele nem vou dizer. Para quê? Não há necessidade. Não há necessidade.

Além da questão de quem é protegido pelos segredos e silêncios, há a questão daquilo de que estão sendo protegidos. Algumas mães, como Sophia, Brenda e Carmel, decidiram que, como parte de sua relação maternal, não devem falar com seus filhos sobre sua experiência da maternidade nem sobre seu arrependimento, nem agora nem nunca, a fim de protegê-los de saber algo considerado danoso e destrutivo e, portanto, supérfluo.

Essa decisão se baseia na ideia de que, diante dos filhos, talvez seja difícil estabelecer algumas diferenças, como a diferença entre arrepender-se da maternidade e arrepender-se dos filhos. Ou entre arrepender-se da transição para a maternidade e amar os filhos. Ou as diferenças que separam uma afirmação como: "Ao contrário do que dizem, a maternidade não vale a pena" e "Eu me arrependo de ter tido você". Na ausência dessa distinção, o arrependimento pode significar, para os filhos, ambas as coisas ao mesmo tempo: o arrependimento da mãe provavelmente vai ser interpretado como um arrependimento em relação a eles, que talvez não consigam evitar se sentir como alguém cuja mãe não os quer neste mundo. Além disso, esse conhecimento pode levar os filhos a sentir culpa e temor pelo fato de terem provocado – com seu caráter e comportamento – a postura emocional a que chegaram suas mães, sem admitir sequer a possibilidade de que a transição para a maternidade e a própria condição de mãe sejam o que está de fato em questão, e não os filhos.

Mesmo nos casos em que não há o medo causando nos filhos o sentimento de culpa por seu caráter ou seu comportamento, ainda assim as crianças podem, de um modo ou de outro, vagar pelo mundo sentindo-se culpadas pelo sofrimento e pela dor de sua mãe apenas pelo fato de terem nascido, considerando-se responsáveis por estragar sua vida. Essa é uma interpretação complexa, que muitas vezes leva a outro medo, o medo de destruir o próprio vínculo com os filhos como seres humanos, uma ligação que a mãe pode considerar muito valiosa, ao contrário da maternidade, que pode ter pouco ou nenhum valor para ela.

Esse vínculo entre mãe e filhos muitas vezes se estabelece mediante um conhecimento desigual do outro: enquanto se espera que as mães saibam tudo sobre os filhos, estes não têm por que saber muito a respeito delas; de acordo com as "leis da irrelevância",[9] conhecer as mães – seu universo emocional e suas ideias como pessoas – tende a ser considerado um fardo; uma carga que deve ser evitada. Como disse Carmel: "Não há necessidade." As mães são menos valorizadas, portanto, espera-se que fiquem em silêncio ou se recomponham, se necessário, de acordo com as expectativas sociais de uma cultura que tem dificuldade de ver as mães como seres humanos que existem separadamente e independentes de sua relação com os filhos. Uma cultura que estrutura as relações entre mãe e filhos, desde o começo, dirigindo a atenção completamente para o filho, sem esperar que as mães existam como alguém com necessidades e desejos próprios. Para Carmel, por exemplo, a experiência do arrependimento é algo sobre o qual se pode falar em público, mas não em casa. Então, movidas pelo desejo de proteger os filhos, mães como ela traçam uma linha nítida entre "a esfera privada", onde ficam em silêncio, e "a esfera pública", onde se sentem mais livres para falar. Dessa forma, reforçam a ideia de que em casa devem se ajustar por completo às necessidades dos filhos, mesmo quando já são adolescentes ou adultos.

Além do desejo de proteger os filhos e de não colocar em risco a relação com eles, a proteção que oferecem silenciando sobre o arrependimento tem outro aspecto para as mães: proteger a si mesmas.

Tirtza (mãe de dois filhos com idades entre 30 e 40 anos e avó)

É difícil virar para o meu filho e dizer: "Sinto muito, acho que cometi um erro, não deveria ter tido filhos, e tudo mais. Sou uma péssima mãe, não quero ser mãe, não me interessa, isso me deixa entediada, desvia minha atenção da minha vida nesse aspecto e me incomoda nesse outro aspecto..." Mas é a verdade. E a verdade é que não podemos voltar no tempo.

Nunca falei sobre isso com os meus filhos, mas tenho certeza de que eles sabem. Muitas vezes penso que, antes de morrer, tenho que escrever uma carta, mas é um dilema – para quê? Para dizer a eles que sinto muito por não ter sido uma boa mãe, [por não ter] me doado a eles, [por ter] ocultado isso, por não ter paciência, por não me interessar pelo que me contavam, nem por todos os jogos e músicas?

Tirtza vive dividida entre a ideia de que falar com os filhos sobre o arrependimento é desnecessária e a de que falar a respeito faz sentido, porque vai permitir que eles a conheçam. Por enquanto, ela continua dividida entre o ocultamento e a revelação, ao mesmo tempo que evita que seus filhos a vejam como ela é, um olhar que pode ser severo e servir para rotulá-la como uma "mãe ruim" em comparação com o "caminho correto". Ao ficar entre uma coisa e outra por ora, ela se permite não se revelar; usa "o direito de permanecer em silêncio" como desejo de autodefesa.

Diferentemente de Tirtza, que relaciona ato de falar sobre o arrependimento com o ato de confessar ser uma "mãe ruim", Carmel traça um limite entre o arrependimento de ser mãe e a natureza de sua maternidade para ela e para seus filhos:

Carmel (mãe de um filho com idade entre 15 e 20 anos)

Pessoalmente, hoje eu sei que não deveria [ter me tornado mãe]. Não porque eu não tenha me comportado como deveria ou algo assim. Sou uma *ótima* mãe, e Ido confirmaria isso a qualquer momento.

Portanto, para as mulheres que participaram do estudo que consideram que cumprem requisitos suficientes para serem "boas mães", silenciar seu arrependimento diante dos filhos pode servir como mecanismo de autodefesa contra a possibilidade de serem rotuladas de "mães ruins", um rótulo que não se ajusta a sua maternidade, já que se baseia em uma suposição de acordo com a qual uma "postura emocional ruim" reflete de forma necessária e flagrante um "mau comportamento".

Ao contrário das mães que estão determinadas a não falar sobre seu arrependimento, outras tomam uma decisão diferente pelo mesmo motivo: proteção. Quer dizer, os mesmos critérios de proteção que podem levar uma mãe a silenciar sobre seu arrependimento em relação à maternidade diante dos filhos podem fazer com que outra mãe fale com eles ou deseje fazê-lo.

Para proteger: Sentir-se responsável por contar a eles

Susie (mãe de duas filhas com idades entre 15 e 20 anos)

Susie: Você acha que elas se sentem confortáveis com essa minha opinião? Porque eu falo a respeito com elas.

Eu: O que você diz a elas?

Susie: Digo que se... Não lembro como, esta semana minha filha me perguntou, humm... "Se você pudesse voltar no tempo, teria filhos?" Eu respondi que não. [...] Respondi que não. Agora não consigo mais dormir. É uma preocupação horrível.

Eu: Você quer dizer por suas filhas lhe dizerem, quando forem mais velhas, que não querem ter filhos?

Susie: Eu digo a elas que ter filhos não é necessário.

Debra (mãe de dois filhos com idades entre 10 e 15 anos)

Eu: Você acha que um dia vai falar sobre isso com seus filhos?

Debra: De certa forma, eu falo com eles. Não posso chegar e dizer "Eu me arrependo de ter tido vocês", porque acho que é o tipo de coisa que um filho jamais deveria ouvir. Mas eu falo, especialmente para minha filha mais velha, que nunca quis ser mãe. Isso ela sabe. Já ouviu de mim. Às vezes, inclusive joga isso na minha cara: "Ah, você não me ama. Nem queria ter filhos." Eu respondo: "É verdade, eu não queria ter filhos, mas tive vocês e os amo muito. Há um abismo enorme entre os dois mundos, e, quando você crescer, vai fazer sua própria escolha."

Rose (mãe de dois filhos, um com idade entre 5 e 10 anos e outro com idade entre 10 e 15 anos)

Quando chegar a hora, tenho certeza de que meus filhos vão precisar de uma conversa "de mãe para filho" – pelo menos para ouvir minha opinião e meus conhecimentos sobre o que é a maternidade. E a legitimidade de optar por não ter filhos.

De uma forma ou de outra, algumas mulheres decidem falar com seus filhos sobre sua experiência como mães e seu arrependimento ou consideram fazê-lo no futuro, pois interpretam de forma diferente o conceito cultural da proteção e do cuidado por parte dos pais: para elas, silenciar sua experiência subjetiva da maternidade é o que pode colocar em perigo a ela e a seus filhos. Portanto, a fim de se proteger e de proteger seus filhos, precisam compartilhar com eles angústias que podem acompanhar a maternidade e a ideia de que talvez não valha a pena.

Jasmine (mãe de um filho com idade entre 1 e 5 anos)

Eu: Você acha que vai falar com ele a esse respeito um dia?

Jasmine: Com o Shay? Eu sei que vou falar sobre isso com ele. Já li muitos livros sobre como criar filhos, como adquirir ferramentas, e uma das coisas que dizem é que é preciso compartilhar. Mesmo que ele tenha apenas 2 anos. Então, todos os dias, antes de dormir e pela manhã, passo alguns minutos com ele: compartilho meu tempo com ele. Converso com ele. Conto a ele sobre muitos dos meus sentimentos. [...] Tenho fotos enormes de quando estava grávida, são lindas. Tenho uma em que estou com um barrigão, então, sentados no meu quarto, eu digo a ele: "Sabe, Shay, faz apenas dois anos eu tive contrações."

Comecei a compartilhar com ele essas coisas. Houve uma dessas conversas na qual apenas eu falava e ele ouvia, então mostrei uma fotografia de quando ele estava na minha barriga e falei de todos os sentimentos que tive, do parto difícil, e do que senti em relação a ele no começo, e como, aos poucos, porque ele é adorável, aprendi a amá-lo. Eu realmente converso com ele, e é algo que eu acredito de verdade que deva fazer. Minha mãe também nos criou assim. Ela me dizia coisas sobre como se sentia e que eu não gostava de ouvir, e acho que isso fez de mim a pessoa que sou, e tudo bem. Não é preciso poupá-los. Eu não o poupo, ele é meu filho, não sou amiga dele e não [...] acredito em limites claros, mas sim na sinceridade completa. Realmente acredito nisso. Mesmo que na prática isso às vezes seja difícil de aplicar.

Maya (mãe de dois filhos, um com idade entre 1 e 5 anos e um com idade entre 5 e 10 anos, e grávida na época da entrevista)

Veja, em princípio, eu sempre penso e digo a mim mesma que, quando minha filha tiver idade suficiente, vou falar sobre isso com ela. [...] Mesmo que, mais uma vez, não dê para se antecipar. Pode ser que ela queira ter filhos, que os tenha e fique tudo bem. Mas sei que meu maior fracasso seria se ela tivesse filhos e se sentisse como eu; isso seria o pior dos meus fracassos. Eu ia saber que nesse aspecto eu falhei, se ela passasse a vida se sentindo como eu.

Com essas palavras preocupadas, Maya demonstra um tipo diferente de responsabilidade em relação à filha, um tipo em que, na maioria das vezes, não se pensa: "preparar os filhos para a vida" como um dos fundamentos essenciais de ser pai ou mãe. Espera-se que os progenitores ensinem a seus filhos "como funciona o mundo", para permitir que eles participem dele e sejam bem-vindos na sociedade. Que tenham um sentimento de pertencimento.

Essa orientação é muitas vezes conseguida ensinando os filhos a repetir o que faz o resto da sociedade, incluindo o que fizeram seus pais, caso tenha funcionado para eles. Por outro lado, a preparação para a vida pode incluir exatamente a postura oposta: guiar os filhos para que não repitam os erros e equívocos dos pais.

Em praticamente qualquer outra arena da vida, seria compreensível e até mesmo louvável que os pais recomendassem aos filhos cautela, desejando que não acabem se ferindo: "Preste atenção. Vá pelo outro lado." A não ser no casamento e na criação dos filhos: não importa quão profundamente os pais possam sentir que falharam ou sofreram decepções depois de um divórcio ou de uma alienação parental, por exemplo, parece que a maioria deles ainda assim orientaria os filhos a se casar e ter filhos não apenas em nome do amor, mas em nome da suposição social de que devemos seguir uma "trajetória de vida natural". Dessa maneira, tradições de fertilidade estão se perpetuando por gerações em nome de um curso linear que todos devemos seguir, fazendo uma transição natural de um estágio da vida para o seguinte. De acordo com essa suposição, todos os meninos e meninas "crescem" em uma mesma direção, que vai levá-los naturalmente a se casar e ter filhos, mesmo que ainda não o desejem.

Contrariamente a essa suposição, a teoria *queer* sugere que a própria infância é uma experiência muito mais diversa, pois as crianças não "crescem" de maneira linear e reta, mas sim "lateralmente". Crianças pequenas não têm vergonha de brincar e descobrir seu corpo e, nos primeiros estágios da vida, imaginam que podem ser quem ou o que quiserem; em sua imaginação, podem ser bombeiros, astronautas ou viajar pelo mundo. Para eles, tudo é possível. Até mesmo os adolescentes – embora, na maior parte das vezes, sejam constrangidos por seus pares a se "adequar" – continuam a se rebelar contra as proibições dos adultos e a fazer muitas perguntas do ponto de vista do desconhecimento inicial sobre "como funcionam as coisas".[10]

E é exatamente, *precisamente porque* as crianças não mostram uma tendência natural a ir em apenas uma direção, que se considera que precisam se "adequar" ou ser "orientados" no sentido de se desenvolverem na direção "certa": "Se desde o início todos nós já fôssemos normativos e heterossexuais em nossos desejos, orientações e modos de ser, seguramente não precisaríamos desse tipo rígido de orientação parental para nos conduzir a nosso destino comum de casamento, criação dos filhos e reprodução heterossexual."[11]

Isso quer dizer que o fato de se acreditar firmemente que meninos e meninas precisam de orientação e incentivos intensos em direção ao "caminho correto" ou "normal" demonstra que eles são anarquistas e desordenados e não controlam o tempo, motivo pelo qual há um sentido em "orientá-los" em direção a esses caminhos que estão diante deles, e não de outros. Isso significa que meninos e meninas recorrem apenas às opções oferecidas a eles em seu entorno imediato; vão na direção daquilo que lhes oferecemos, qualquer coisa familiar que "esteja mais perto" ou quaisquer objetos que estejam diante deles nos reinos da feminilidade, masculinidade, identidades sexuais, casamento, gravidez e criação dos filhos.[12]

Algumas mães podem se recusar ou considerar se recusar a criar os filhos dessa forma, produzindo um diálogo intergeracional diferente, que pretende proteger os filhos desejando que eles não repitam seus erros, como afirmou Maya. Assim, falar sobre as implicações de ser pai ou mãe, e do arrependimento que sentem em particular, mostra a seus filhos caminhos diferentes, que vão na direção contrária da "linha reta" da heteronormatividade e da pró-maternidade.

Debra (mãe de dois filhos com idades entre 10 e 15 anos)

Quando ela [sua filha] fala, fala sobre ter um marido um dia. Quanto a filhos, ela diz: "Se eu tiver filhos e netos..." Gosto muito do fato de ela dizer "se". Digo a mim mesma que sou uma boa mãe e isso é mais uma prova. Sou uma boa mãe porque permito que meus filhos tenham o direito e a capacidade de analisar as coisas, processá-las e decidir por conta própria. E acho que essa é uma dádiva que todos precisam dar às pessoas ao seu redor, especialmente as crianças.

Então, se é isso que conta, posso dizer que me considero a melhor mãe do mundo. Pela ideia que tenho de mundo. Fico feliz com o fato de minha filha – quando falamos sobre essas coisas – também estar disposta a questionar coisas que supostamente são muito claras e essenciais. Realmente gosto disso. E quer saber? Nem mesmo espero ter netos quando penso nisso.

Tirtza (mãe de dois filhos com idades entre 30 e 40 anos e avó)

Pode soar estranho, mas, antes de minha nora, mulher do meu filho, ter seu primeiro filho, comprei o livro *Of Woman Born* [Nascido da mulher, de Adrienne Rich] para que ela lesse. Não sei se ela leu. Quando o dei, o que tinha em mente era transmitir a ela uma mensagem sobre o que é a maternidade, o que é ter filhos, quais são as políticas sobre a paternidade e a maternidade. Qual é o preço que ela vai ter que pagar pelo resto da vida.

Além de comprar um livro para tentar transmitir uma mensagem, Tirtza ainda não se decidiu – não o tinha feito na época da entrevista e não o fez até hoje – se devia discutir diretamente sua experiência como mãe e o arrependimento diante da maternidade com seus filhos. Na carta que me mandou depois da entrevista, ela continua a ponderação sobre a ideia de não seguir o único caminho que nos é imposto pela sociedade:

Precisamos educar nossos filhos, se já os tivemos no fim das contas (as mulheres em especial), sobre o fato de que é importante e necessário abater todas as vacas sagradas, todos os "valores", ideologias e autojustificativas com os quais fomos criados. Verificar os pontos nos quais continuamos a cair nas teias dos estereótipos e do conformismo, os momentos em que mentimos para nós mesmos e escondemos a verdade de nossos filhos e netos. Verificar, com precisão cirúrgica, os eufemismos que se tornaram "normais" e "naturais" para nós, como as mensagens de que "filhos são uma alegria, filhos são uma bênção", "somos unidos por laços de sangue" ou "a família em primeiro lugar". Se não formos cuidadosos e não tivermos consciência do poder destrutivo desses eufemismos, eles se tornam parte de nosso DNA social e cultural, e nos convencemos de que é assim que deve ser por toda a eternidade.

Não é crime expressar remorso por ter tido filhos. [...] É crime não dizer a verdade a nós mesmas e àqueles que parimos. É crime morrer e passar adiante um segredo obscuro que não pode ser contado, escrito ou revelado.

Tirtza esboça, portanto, um legado intergeracional alternativo segundo o qual parte da obrigação dos pais é introduzir outras experiências, um legado que não necessariamente direcione seus filhos para essa "linha reta". No entanto, as implicações que isso pode ter para seus filhos, para ela mesma e para o vínculo entre eles, caso introduza uma nova imagem de si mesma, ainda são incertas e suscitam dúvidas sobre qual caminho tomar: "Não vejo razão para escrever sobre todas essas coisas, mas tenho que fazê-lo. Talvez eu escreva. Ainda estou decidindo se é importante que eles saibam quem eu sou hoje, o que penso, minha postura com relação à maternidade, à paternidade e aos filhos. Tudo isso."

A cuidadosa ponderação entre o desejo de continuidade e o desejo de ruptura faz com que ela analise repetidas vezes as consequências possíveis de falar ou não falar com os filhos sobre seu arrependimento. Apesar de muitas mães optarem pelo silêncio como um ato de proteção multifacetado, tanto o fato de se calarem quanto a incapacidade de contar sua história podem lhes custar caro:[13] *em sua relação consigo mesmas, elas pagam caro*. Com o objetivo de permanecer no estreito caminho da "boa maternidade", as mães que participaram do estudo disseram que sempre se viram na situação de criar relatos tangenciais de suas vivências, histórias que filtrem alguns elementos de sua vida, que criem versões parciais, incluindo apenas o que se aceita que elas recontem para serem consideradas mulheres e mães moralmente íntegras. Demanda-se que expressem apenas os aspectos que despertem simpatia e reconhecimento, as partes que lhes são "permitidas" manter, enquanto aquelas que não se enquadram no sistema hegemônico devem ser deixadas de lado, rejeitadas, descartadas.

Esses desejos de proteger os filhos dos relatos e sentimentos das mães por meio do silêncio não são incomuns. A literatura, tanto a popular como a acadêmica, registra diversas situações nas quais as mães não conseguem contar a história do seu ponto de vista, tanto por falta de palavras quanto pela dificuldade de imaginar como sua história poderia não violar aquilo que é caro para elas: proteger o bem-estar dos filhos em circunstâncias de vida que as obrigam a navegar por espaços restritos e manter o vínculo com eles. "Em uma das melhores coletâneas de ensaios sobre a decisão de ter filhos que encontrei, *Why Children?* [Por que ter filhos?], os organizadores dizem que procuraram mães que estivessem infelizes com a maternidade; e as encontraram, mas não conseguiram convencê-las a escrever. As mães insatisfeitas tinham medo de magoar os filhos se admitissem quão pouco gostavam da maternidade. E quanto às mães que tiveram filhos contra sua vontade? Estão em posição de reclamar? Mais uma vez, não exatamente: os filhos ficariam magoados se soubessem que não foram desejados."[14]

Nessas condições, é raro encontrar uma mãe que não carregue alguma história que viola, de uma maneira ou de outra, a forma como ela e sua comunidade definem como a "boa mãe" deveria pensar, sentir e agir. Quando isso acontece, consciente ou inconscientemente, diversas mulheres se sentem presas, aprisionadas entre uma autorrepresentação que corresponde a sua experiência e uma que seja aceitável.[15]

Em sua relação com os filhos, continuam pagando caro. Quando as mães não compartilham suas experiências com os filhos por considerá-las inaceitáveis, eles são privados de aspectos fundamentais de suas mães, elementos com os quais poderiam aprender. São privados da possibilidade de se certificar se a transição para a maternidade é apenas consequência de expectativas culturais e sociais, e não necessária nem exclusivamente o resultado de seguirem seu instinto natural; e as mães, que não compartilham, são privadas de diferentes tipos de relação na rede familiar.[16]

Proteger os filhos ao embalar a história de forma que se adapte às expectativas sociais pode significar que os filhos não cheguem a conhecer suas mães como pessoas que examinam, pensam, avaliam, anseiam, desejam, sonham, recordam, lamentam, imaginam, calculam e decidem. Dessa maneira, as mães podem ser vistas pela sociedade, pela família e por elas mesmas como seres sem rosto ou com um rosto oculto, como descreveu Luce Irigaray de maneira tão bonita: "Você se olha no espelho. E vê sua própria mãe refletida. E logo sua filha, já mãe. Entre as duas, quem é você? Que lugar é apenas seu? Em que moldura você deve se encaixar? E como deixar que seu rosto apareça, através de todas as máscaras?"[17]

Portanto, mesmo que, como afirmou Sophia, "os filhos saibam tudo", ou como disse Tirtza: "nunca falei sobre isso com meus filhos, mas tenho certeza de que eles sabem", parece que, na maior parte das vezes, os filhos não ouvem críticas diretas e explícitas sobre a maneira, os motivos e as circunstâncias em meio às quais suas mães se tornaram mães, nem tampouco sobre sua experiência subjetiva da maternidade.

Em sua relação com a sociedade, elas também podem pagar caro. Se as mães tendem a não contar sua história sem que ela passe por um filtro social, nenhum de nós jamais vai conhecer histórias mais completas sobre a maternidade. Isso significa que silenciar partes dos relatos influi nesses acordos sociais que negam às mulheres o direito de responder como acham mais conveniente, sendo senhoras de seu próprio conhecimento.

Em conclusão, quais são os direitos e as responsabilidades das mães? O que implica seu comprometimento com seus filhos como seres humanos, com elas mesmas como seres humanos e com o futuro de ambos? Como esse futuro é desconhecido e, portanto, também incontrolável, cada mulher tem que encontrar sua própria maneira de lidar com a questão de discutir sua experiência de arrependimento com os filhos ou não, de silenciar humildemente enquanto permanecem espectadoras atentas do seu desenvolvimento, ou falar e expor sua opinião.

Essas questões, assim como as diversas respostas oferecidas pelas mães, reunidas ao longo do eixo de um desejo constante de tentar melhorar a realidade vivida por mulheres, meninas e meninos, permanecerão abertas.

6. Mães-sujeitos: Investigar o estado das mães por meio do arrependimento

> "Todas as coisas irremediáveis deveriam ser esquecidas;
> o que está feito está feito."
>
> *Lady Macbeth*

Lady Macbeth, a personagem de Shakespeare, foi incisiva. Eu discordo. O que está feito não está feito, e o sofrimento das mães – nesse caso – não deveria ser ignorado. O que a sociedade pode fazer? A solução reside, entre outras coisas, em ouvir cuidadosamente uma mãe arrependida e aceitar sem dissimulações os significados mais amplos de seu arrependimento diante da maternidade, porque a questão é a seguinte: sempre que uma forma de pensamento alternativa entra na vida humana, ela fala não apenas sobre a própria alternativa, mas sobre as formas de pensar habituais, aquelas noções estabelecidas sobre as quais nos apoiamos, em geral sem nem mesmo notar.

O arrependimento diante da maternidade nos serve para tratar essa questão, uma vez que não apenas vincula o ato com suas consequências (em nível pessoal, no caso das mães arrependidas), mas também indica algo que está no nível do geral, nos ensina que contemplar o passado de olhos abertos é essencial para analisar percepções e acordos sociais. Permite que reconheçamos que esse olhar retrospectivo é essencial se levarmos em conta que a determinação de não olhar para trás pode servir como instrumento de controle social.[1] Sem uma visão geral que nos localize em relação a nossa história e vida atual, estamos impedidos de imaginar qualquer mudança e de lutar por ela: "Precisamos saber onde vivemos para podermos nos imaginar vivendo em outro lugar. Precisamos nos imaginar vivendo em outro lugar antes de podermos viver lá."[2]

O arrependimento, portanto, às vezes funciona como uma balsa cujo destino é não ser mãe de ninguém e que em seu curso passa por diferentes visões da maternidade, de forma que permitem a todas as mulheres e mães subir a bordo ou desembarcar. Embora as mães que participaram deste estudo, depois de falar sobre as dificuldades que enfrentaram com a maternidade, concluam abraçando o arrependimento e ponto final, o que fazem é abrir uma porta para repensar duas questões das muitas que com tanta frequência não são levadas em consideração: o fato de avaliar a maternidade como algo satisfatório e que vale a pena depende apenas das circunstâncias? O que vai acontecer se passarmos a considerar a maternidade uma relação humana como outra qualquer e não um papel?

A jornada vai começar com uma breve visão geral do bem-estar de mães pertencentes a grupos sociais distintos.

Recorrer às mães: vantagens e desvantagens

Desde a década de 1980, diversos pesquisadores examinaram os vários contextos nacionais, étnicos, econômicos, de gênero e de saúde das relações entre mães e filhos em uma tentativa de medir o bem-estar das mulheres em todo o mundo. A organização de auxílio à infância Save the Children, por exemplo, publica todos os anos um informe com o título de Estado Mundial das Mães, cujos resultados se baseiam em cinco indicadores: a taxa de mortalidade das mães, a taxa de mortalidade das crianças menores de 5 anos, o tempo médio de educação, a renda *per capita* e a participação feminina no governo. Entre os 179 países examinados em 2015, foram observadas enormes diferenças entre os países desenvolvidos e os países pobres; os dez países mais bem-avaliados tiveram pontuações muito altas, com a Noruega em primeiro lugar, e a Alemanha, na oitava posição. De acordo com a diretora da organização, Carolyn Meyers, os resultados podem indicar que o bem-estar econômico é um fator importante, mas não é o único que conta; são necessários investimentos políticos para melhorar a realidade diária das mães,[3] já que elas têm cada vez mais responsabilidades e contam com cada vez menos recursos.

Além desse tipo de análise internacional, escritoras feministas também estudaram o bem-estar de mulheres de diversos grupos sociais em vários países ocidentais a fim de constituir um corpo de conhecimentos que não relegue ao esquecimento mães de baixa renda, solo, não brancas, trabalhadoras emigrantes ou imigrantes, nem mães que tenham deficiências físicas e mentais e que não sejam heterossexuais.[4] Um dos objetivos dessas análises era destacar, por exemplo, a relação estrutural existente entre gênero e classe social, ou seja, a feminização da pobreza:[5] alguns estudos demonstraram que, em quase todas as sociedades, as taxas de pobreza entre as mulheres são mais elevadas do que entre os homens devido a desigualdades nos salários da força de trabalho baseadas no gênero, assim como ao fracasso de diversos programas de bem-estar social no sentido de diminuí-las. Além disso, as pesquisas mostraram que as mães solo e seus filhos estão mais vulneráveis e mais propensos à pobreza, de forma que criar um filho sozinha pode ser mais prejudicial para as mulheres do que para os homens.[6]

As várias análises não apenas documentam o bem-estar das mães, mas também demandam a introdução de mudanças necessárias e urgentes no sentido de atenuar algumas dessas dificuldades, como a necessidade de uma divisão diferente de trabalho no que diz respeito aos cuidados com os filhos, à socialização e à paternidade, de forma que a criação dos filhos não permaneça confinada na estrutura dual mãe-filho, a importância de benefícios fiscais, a aquisição de moradia e a necessidade de apoio institucional na forma de cuidados subvencionados durante o dia. Além disso, apontaram também a necessidade de mudar a percepção social da maternidade, de forma que, por um lado, ela não seja mais marginalizada e, por outro, seu esplendor mítico se desvaneça para que as mães sejam tratadas como seres humanos, e não como objetos ou divindades sobre a terra – percepções que as impedem de conseguir aquilo de que precisam para cuidar de si mesmas e de seus filhos.

Um dos aspectos mais importantes dessas investigações minuciosas é o já conhecido "conflito de papéis"; ou seja, o conflito entre trabalho remunerado fora de casa e o trabalho não remunerado dentro de casa.

Esse conflito ganhou mais atenção desde que as mulheres brancas de classe média começaram a entrar no mercado de trabalho remunerado. As mulheres de classe social mais desfavorecida e/ou não brancas e/ou de comunidades comunistas e socialistas tendiam a combinar a maternidade e o trabalho remunerado fora de casa ao longo da história: "Meus estudos sobre a história laboral de mulheres afro-americanas no Sul, mulheres americanas de origem mexicana no Sudeste e mulheres americanas de ascendência japonesa na Califórnia e no Havaí revelaram que o valor dessas mulheres como mão de obra barata – especialmente como empregadas domésticas na casa de americanos brancos ou executando serviços subalternos em ambientes institucionais – geralmente tinha precedência sobre seu valor como mães. Assim, não se esperava nem se permitia que elas fossem mães em tempo integral; tampouco suas circunstâncias lhes permitiam sequer cultivar a ilusão de um refúgio privado seguro. As mulheres tinham que se alternar constantemente entre o trabalho 'público' e o 'privado', uma vez que o papel de provedoras econômicas da família era parte esperada da sua maternidade."[7]

No entanto, mesmo que a luta tenha ganho mais força depois da entrada maciça de mais mulheres no mercado de trabalho, e ainda que vários países ocidentais – uns mais do que outros – tentem oferecer os serviços necessários para o cuidado com os filhos e reforcem o suporte financeiro para famílias de diferentes grupos sociais, muitas mulheres seguem contando com poucos meios de aliviar sua situação. Ao contrário, a imensa pressão sobre um número cada vez maior de mulheres para que combinem ambos enquanto se espera que assegurem que são "boas mães" leva a restrições, a uma dificuldade mais presente do que nunca:

> Em casa, é difícil, para mim, me desconectar, uma vez que estou sempre alerta para a chegada de e-mails do trabalho, e no trabalho me exaspera, por exemplo, o fato de eu não poder comparecer ao café da manhã das mães do jardim de infância.[8]

Na Alemanha, por exemplo, a economia, a política e a sociedade como um todo recebem com satisfação o fato de haver cada vez mais mulheres não apenas trabalhando fora de casa, mas também construindo uma carreira – e tendo filhos: espera-se que elas sejam mães em tempo integral e que tenham carreiras profissionais ao mesmo tempo que cuidem da família e sejam bem-sucedidas no trabalho. As raízes desse conceito de "supermãe" estão na Reforma Protestante alemã, de acordo com a qual uma mulher só segue o modelo louvável de Cristo se for esposa e mãe; e o desejo de ter uma profissão parece ter se tornado o modelo dominante desde o começo do século atual. Assim, mães de grupos sociais distintos precisam ou desejam trabalhar fora de casa, mas, ao mesmo tempo, devem navegar entre os conceitos dominantes de "superprofissional" e "supermãe" enquanto tentam dar conta de todos os compromisso e se virar entre o trabalho remunerado, o trabalho não remunerado em casa e todos os conflitos emocionais resultantes da dificuldade de dar conta de tudo.[9] Uma vez que ainda é impossível uma divisão igualitária do trabalho doméstico e do cuidado com os filhos, e posto que é impossível dar conta do impossível, com muita frequência as mulheres optam por trabalhos em meio período, vendo-se obrigadas a enfrentar as consequências de ter menos renda; algumas ficam em casa, e outras abrem mão inteiramente de ter filhos.

Esse estado conflituoso não se dá apenas da Alemanha: estudos realizados pela União Europeia, por exemplo, mostram que, em 2013, apenas 68% das mães com idades entre 25 e 49 anos tinham trabalho remunerado, em comparação com 77% das mulheres sem filhos. Em contraste, 87% dos pais e 78% dos homens sem filhos estavam empregados (na Alemanha, eram 93% dos pais, a porcentagem mais elevada da Europa). Portanto, ao passo que, na Alemanha, mais mães tinham trabalho remunerado em comparação com a média europeia (73%), a maioria delas (66%) trabalhava apenas meio período. Por outro lado, apenas 6% dos pais alemães tinham trabalhos de meio período.[10]

Embora esses estudos sejam bem-vindos e cruciais para um número indeterminado de mulheres, muitas escritoras feministas apontaram que, em algumas ocasiões, por trás deles reside a mesma noção arraigada de uma identidade feminina que prevalece na sociedade, assim como o mito do comportamento maternal autêntico, que se encontra fora das restrições sociais (o que seria uma mãe por natureza, se a liberássemos dos fardos sociais).[11] Nancy Chodorow e Susan Contratto, por exemplo, escreveram que: "As feministas têm dificuldade de aceitar a ideia de que uma mãe pode ser perfeita aqui e agora, considerando a dominação masculina, a falta de igualdade no casamento e a inadequação dos recursos e apoios, mas a fantasia da mãe perfeita permanece: se as atuais limitações impostas às mães fossem eliminadas, elas saberiam como ser boas de forma natural."[12]

A escritora e ativista feminista norte-americana bell hooks não deixou de pontuar isso também: "Infelizmente, a atenção que as feministas dedicaram à maternidade nos últimos anos se baseia em grande medida em estereótipos sexistas. A maternidade é tão romantizada por algumas ativistas feministas quanto era pelos homens e mulheres do século XIX, que exaltavam as virtudes do 'culto da domesticidade'. [...] Ao romantizar a maternidade, empregando a mesma terminologia usada pelos sexistas para sugerir que as mulheres são por natureza as principais responsáveis pela afirmação da vida, as ativistas feministas reforçam os pressupostos centrais da ideologia supremacista masculina."[13]

Essas escritoras apontam que com frequência se supõe que, uma vez que as mulheres, sejam quem forem, são naturalmente equipadas com um conjunto de características que garante sua serenidade na maternidade, tudo que a sociedade precisa fazer é se certificar de que em seu processo elas não sejam interrompidas por condições inapropriadas ou injustas. Dessa maneira, reafirma-se que a adaptação à maternidade é *apenas* uma questão de condições. Uma associação tão explícita entre condições e satisfação na maternidade pode ser encontrada nas seguintes palavras da socióloga americana Barbara Katz Rothman: "Eu posso amar [a maternidade] em todos os sentidos da palavra: desfruto dos serviços e do ambiente de classe média que a tornam possível, além de adorável. E não tive que fazer isso sozinha. Compartilhei os cuidados com meus filhos sobretudo com o pai deles, mas também com os avós, amigos e até mesmo com 'profissionais contratadas', mulheres que vinham a nossa casa algumas tardes por semana e cuidavam de nossos filhos. [...] Mulheres como eu, em boas condições financeiras, podem arcar com os custos e usufruir enormemente da maternidade. Mulheres em situações mais desfavorecidas – mulheres pobres, muito novas, que receberam pouca educação formal, pertencentes a minorias, ou todas essas opções – sofrem sobremaneira em sua maternidade."[14]

De acordo com essa divisão, que talvez seja demasiadamente marcada, poderíamos nos perguntar se o arrependimento seria evitado se as mães tivessem mais apoio familiar e social ou alguma forma de infraestrutura econômica que as ajudasse a sobreviver.

A resposta imediata poderia ser "sim".

"Em um mundo ideal, a carga de um filho não seria tão pesada a ponto de os pais se arrependerem. E costuma ser a mãe quem tem que carregar esse fardo. [...] Se pais e mães ou mesmo uma vila inteira se encarregassem de cuidar dele, o fardo – nesse caso, o filho – seria bem mais fácil de suportar."[15]

Meu estudo, no entanto, mostra que as respostas são muito mais complexas.

Satisfação na maternidade: É apenas uma questão de condições?

Postula-se com certa confiança que as raízes do arrependimento são encontradas na pobreza ou que, por outro lado, "ao que parece, é algo apenas para as mulheres brancas de classe alta".[16] No entanto, essas afirmações não parecem aplicáveis a todos os casos. Os dados apresentados ao longo do livro indicam que cada uma das mulheres que participou do estudo cria os filhos em condições diferentes: algumas são mães de filhos muito pequenos, outras, de adolescentes, e várias, de filhos adultos, já sendo, inclusive, avós. Algumas vivem na pobreza, outras desfrutam de prosperidade econômica. Várias cuidam dos filhos diariamente, uma vez que são suas principais cuidadoras, enquanto outras passam menos horas com eles, uma vez que o pai é o principal responsável por sua criação, e várias veem os filhos apenas alguns dias por semana ou ocasionalmente, já que os filhos vivem com o pai, são independentes ou vivem longe – em outra cidade ou em outro país. Portanto, apesar dos diferentes contextos, o arrependimento da maternidade atravessa as fronteiras de suas diferentes localizações, condições e circunstâncias.

Essa conclusão pode mostrar que, mesmo que haja condições capazes de atenuar as dificuldades da maternidade, isso não quer dizer necessariamente que uma maternidade em condições difíceis ou que as rígidas determinações sociais que a acompanham na época atual sejam os únicos fatores capazes de explicar o sofrimento e a falta de satisfação com a maternidade, como apontou em retrospecto a teórica feminista Andrea O'Reilly: "[...] embora eu esteja convencida de que a maternidade patriarcal é opressiva para as mulheres, não acho, como meus escritos da época sugerem, que a opressão das mães possa ser reduzida única e exclusivamente à instituição ou à ideologia da maternidade. Alguns aspectos do amor maternal e do trabalho maternal continuam sendo árduos, se não opressivos, não importa se acontecem dentro, fora ou em oposição à maternidade patriarcal. Um empoderamento das mães pode atenuar muitas ou a maioria das adversidades da maternidade patriarcal; não pode, entretanto, eliminar todas elas."[17]

E, de fato, muitas das mães que participaram do meu estudo falaram das condições que tornam a maternidade mais difícil, mas não as apontaram como causa do seu arrependimento. Cada uma definiu as condições que foram e continuam sendo um obstáculo e que podem ser resumidas, em conjunto, a três condições fundamentais: o conflito entre a maternidade e o trabalho remunerado fora de casa, a falta de uma base econômica e a falta de sistemas de apoio por parte do marido e da família.

Sunny (mãe de quatro filhos, dois com idades entre 5 e 10 anos e dois com idades entre 10 e 15 anos)

Veja, tenho amigas que voltaram para casa depois de dar à luz, e a mãe passou o primeiro mês com elas em casa, ou elas ficaram com o bebê na casa da mãe, de forma a ter algum apoio familiar. É diferente. [...] É um conjunto de fatores: não tenho ajuda de nenhum tipo, tenho filhos com necessidades especiais e descobri que meu marido tinha problemas complexos. Eu me divorciei dele por causa disso, e [...] a maior parte do peso recaiu sobre mim. Talvez, se as condições fossem outras, eu teria vivido a maternidade de outra forma. Mas, devido a minha situação, tudo recai completamente sobre mim, e eu me pergunto: Por quê? O que eu fiz para merecer isso? [...] Criar filhos na minha situação é o pior dos cenários. Se eu tivesse apoio da minha família, um marido normal, dinheiro... acho que não teria sido tão difícil. É isso. Faz uma enorme diferença. Veja, é porque minha família é um caos. [...] Sei de mulheres solteiras que resolveram ter um filho, e a família ajuda na criação. Não consigo imaginar isso sendo feito por uma pessoa sozinha. Seria como pular de um precipício.

Brenda (mãe de três filhos com idades entre 20 e 25 anos)

Quando eles tinham 6 anos, eu já os criava sozinha. O que transformou minha vida em um inferno foi o fato de, na maior parte do tempo, eu ser a única cuidadora. Só de criar meus filhos sozinha, eu me vi em um estado de pobreza que provavelmente vai me acompanhar pelo resto da vida. [...] Tinha que criar meus filhos e trabalhar em vários empregos durante o dia. Voltava para casa e ficava até as 23h arrumando, cozinhando, limpando, e só depois que eles iam para a cama eu me permitia tomar uma xícara de café. Não tinha nem tempo de aproveitar meus filhos, tampouco podia pagar por ajuda.

Sunny e Brenda tiveram seus filhos enquanto estavam em uma relação com o pai, mas hoje estão divorciadas ou separadas. Como consequência, são mães solo e únicas provedoras econômicas da família, além de serem quem mantém a relação com os filhos enquanto eles crescem, mesmo quando o pai está presente em segundo plano.

É importante destacar que nem todas as mães que criam os filhos nessas condições vão se arrepender de sua maternidade em particular ou encarar a maternidade como opressiva de maneira geral: estudos indicam que, com muita frequência, a maternidade serve para dar força a mães de baixa renda, solo, não brancas, não heterossexuais

MÃES-SUJEITOS

diante de uma divergência de sistemas de poder, o que significa que a fonte de seus conflitos não é a maternidade, mas sim a luta para sobreviver em condições de pobreza, racismo, homofobia e sexismo.[18] A pesquisadora e assistente social israelense Michal Krumer-Nevo, por exemplo, que conduziu um estudo com mulheres que viviam na pobreza, aponta a importância da maternidade na vida de mulheres que enfrentam uma marginalização multifatorial,[19] como afirmaram participantes de seu estudo:

> [Meus filhos] são a única razão da minha existência. [Breve silêncio.] Cuidar deles é o que me dá forças e me motiva a sair e trabalhar. Pelo menos tenho alguém de quem cuidar, não alguém cuidando de mim; preciso cuidar de alguém.[20]

No entanto, embora a maternidade solo possa ser uma fonte de força e conforto para algumas mulheres que vivem na pobreza, as mães solo que participaram do meu estudo relataram travar uma batalha em duas frentes: para elas, a maternidade não serve como meio de enfrentar a pobreza e as dificuldades financeiras, pois é fonte de pesar e sofrimento em um círculo vicioso. Portanto, e dito de outra forma, apesar de diversas mulheres que criam os filhos sozinhas afirmarem que tiram deles a sua força, e que assim conseguem respirar – para seu próprio bem e para o bem de seus filhos –, as mães no presente estudo descreveram um universo emocional diferente. Sua maternidade, longe de ser uma fonte de força, as consome.

Algumas mães, como Susie, podem não apenas encarar o malabarismo para conciliar o trabalho remunerado e o trabalho não remunerado como algo que prejudica sua maternidade, mas a maternidade em si como algo prejudicial. Desejariam poder eliminá-la por completo, pois gostariam de dedicar seu tempo e seus recursos a outras coisas que não os filhos.

MÃES ARREPENDIDAS

Susie (mãe de duas filhas com idades entre 15 e 20 anos)

Eu amo meu trabalho. É minha segunda paixão, depois das minhas filhas. Isso quer dizer que, se não fosse por elas, o trabalho seria minha primeira paixão, e o que investi em minhas filhas teria sido dedicado ao trabalho, e tenho certeza de que isso me traria muito mais satisfação. Muito mais. [...] Porque é algo que me preenche. O trabalho me preenche, eu o acho interessante. Não consigo me ver sem trabalhar até ter 80 anos. Não consigo. Pelo contrário.

Além das circunstâncias nas quais tentam prover o básico para seus filhos e sobreviver em condições adversas, muitas vezes as mães tentam se manter respirando devido a outra razão, um motivo adicional que poderia revelar a imensa profundidade que subjaz esse fato: a ideologia capitalista e neoliberal da perfeição, como se houvesse "condições normais" para a "maternidade normal" e, portanto, devêssemos lutar constantemente para alcançá-las. Essa percepção está ancorada no modelo de maternidade exigente como foi apresentado no Capítulo 2, mas não apenas. Está ancorado também em percepções contemporâneas mais gerais a respeito de "normalidade" que podem ser um denominador comum para mães de diferentes grupos sociais.

Os conceitos de "normalidade", "norma", "média", "não normal" e "fora do padrão" se introduziram no pensamento europeu em meados do século XIX como parte da então recém-estabelecida ciência da estatística e com o surgimento de novas ideias a respeito da existência de um "homem normal". Antes desse termo, uma palavra de caráter geral vinha sendo empregada: "ideal". O ideal era representado por meio de uma entidade mitológica relacionada com os corpos dos deuses, em contraste com os corpos grotescos dos humanos. O corpo ideal era concebido como um que nunca se destinara aos humanos, uma vez que a essência de um ideal é o fato de ele ser intangível e de não estar ao alcance dos reles humanos. Em seguida à mudança em favor da pessoa "normal" como representação do correto, a ideia do comum (a média) se converteu paradoxalmente em um ideal alcançável; o ideal é a norma. Em outras palavras, como resultado dessa mudança, se supõe que os humanos podem e *devem* ser parte da "norma ideal" e da "média ideal".[21]

Prestar atenção a essa enorme transformação sugere que essa passagem de um ideal inalcançável para um ideal alcançável muitas vezes resulta em sofrimento e frustração, em geral e no que diz respeito à "maternidade normal" que vai se desenvolver em "circunstâncias normais", já que as mulheres não poderão descansar nem mesmo por um segundo em seu afã por alcançar a perfeição. Além disso, supor que é possível encontrar condições ideais para a maternidade virando a esquina não deveria continuar a ser uma "fantasia" para mulheres insatisfeitas e infelizes: essa ideia serve apenas para criar urgências e vazios que precisarão ser preenchidos com "normalidade". Algo que, para começar, não é necessariamente alcançável devido ao caráter grotesco e imperfeito da vida.

Dessa maneira, por mais que as mulheres se esforcem para alcançar essas condições de sustentabilidade, por mais que tenham direito a elas – ter filhos é, para dizer o mínimo, uma loteria em um mundo imperfeito. É a criação de uma nova pessoa cuja natureza é de maneira geral desconhecida, sem falar das necessidades especiais que porventura ela possa vir a ter. Carmel, por exemplo, falou mais de uma vez durante sua entrevista sobre a possibilidade de suas dificuldades com uma maternidade da qual se arrependia estarem ligadas a seu afã especialmente exigente de ser uma boa mãe para seu filho, que era muito sensível e enfrentara diversas dificuldades sociais ao longo dos anos.

Carmel (mãe de um filho com idade entre 15 e 20 anos)

Carmel: Sou mãe solo e tenho três bocas para alimentar: a de meu filho, Ido, a de sua namorada e a minha, e ainda por cima temos um cachorro que mais parece um cavalo. Eu sou a única que coloca dinheiro em casa, não recebo pensão nem tenho outra fonte de renda. E moro em um apartamento alugado. Então minha situação econômica não é maravilhosa, mas eu consigo chegar ao fim do mês porque trabalho muito. Muito. [...]

Eu: [...] no começo você disse que Ido é um filho que... o quê?

Carmel: Ele é sensível. Mas essa não é a questão. Veja, não tenho certeza se tem uma ligação. Para ser sincera, é mais difícil criar um filho com necessidades especiais, um filho com problemas – sociais, pessoais, comportamentais, motores, o que seja – em comparação com criar um filho típico. Ido não é um filho típico. Não é um filho comum. Isso significa que ele nunca se adaptou ao sistema escolar convencional, nem mesmo no jardim de infância. Tinha severas dificuldades de socialização. Aos 17 anos, as coisas mudaram. Sim, ele é *muito* inteligente, muitas vezes isso está associado. É muito sensível. É mais difícil criar filhos como ele do que crianças que conseguem lidar com tudo e fica tudo bem. [...] Olha, é possível que mesmo que Ido não estivesse acima do peso e não tivesse todos esses problemas, e ele tem alguns problemas graves... É claro que há filhos com problemas piores, mas ele sempre teve problemas... É possível que tivesse sido mais fácil, que tivesse sido diferente. Não sei, é difícil explicar. É difícil explicar.

Além disso, considerando que as circunstâncias de vida podem mudar entre o momento que uma mulher deseja ser mãe e o momento em que ela de fato se torna mãe, ou durante os anos depois de se tornar mãe, as mulheres podem se ver diante de um abismo entre a realidade que esperavam viver e a realidade que de fato vivem.[22] Nessas condições, elas podem enfrentar uma série de acontecimentos fortuitos como o falecimento do cônjuge, a falência, doenças e acidentes que as levem a um mundo completamente novo, que não poderiam prever um segundo antes. Por vezes se dão outros fatores imprevistos, como quando as mulheres ficam grávidas enquanto estão em um relacionamento estável ou vivendo em uma aventura romântica, e então se veem sendo mães solo em seguida a separações e divórcios. É o caso, por exemplo, de uma mulher sueca que se arrepende de ter se tornado mãe, entre outras razões, devido a uma dolorosa mudança de planos:

Tenho pensado muito sobre esse tema tabu desde que fiquei grávida. Aconteceu muito rápido, com um homem por quem fui apaixonada por um breve período. Depois de algumas semanas, me dei conta de que não podia viver com ele. Torcia para ter um aborto espontâneo no início, mas decidi não interromper a gravidez, embora ao mesmo tempo me entristecesse saber que por meio daquele filho estaria ligada àquele homem para sempre. Também tive medo de ficar apegada e privada de liberdade quando me dei conta de que teria de assumir a maior parte da responsabilidade por criar aquele filho. [...] Depois que engravidei e me separei do pai, senti que de alguma forma minha vida tinha terminado.[23]

Além das mulheres que ficam sem um parceiro com quem possam compartilhar pelo menos alguns aspectos da criação dos filhos, as mulheres que vivem em uma relação estável com um parceiro tampouco são poupadas de possíveis discrepâncias entre o que desejavam e a realidade, pois a transformação de amantes em pai e mãe em geral, e em pai em particular, pode revelar características pessoais ou uma divisão do trabalho estruturada com base no gênero que não foram levadas em conta antes de terem um filho de fato.

Erika (mãe de quatro filhos com idades entre 30 e 40 anos e avó)

As pessoas sempre me perguntavam "Você trabalha?", e eu respondia: "Não, passo o dia tocando piano." É claro que eu trabalho! Onde? Em casa. Eu trabalho feito um cão em casa. O trabalho nunca tinha fim, e as coisas poderiam ter sido bem diferentes se ele tivesse me ajudado.

Sunny (mãe de quatro filhos, dois com idades entre 5 e 10 anos e dois com idades entre 10 e 15 anos)

A rejeição maior começou antes de eu ter meu terceiro filho. Na época, eu já tinha percebido que tudo ficava nas minhas costas apenas, enquanto ele fazia de tudo para escapar. Para fugir da parte dele na responsabilidade. Então eu dizia a mim mesma: "Que inferno, o que eu fiz para merecer isso?"

[...] A questão é que, no fim das contas, nós ficamos completamente sozinhas. Espera-se que trabalhemos fora de casa e em casa, que sejamos supermulheres em tudo, que sejamos perfeitas ao mesmo tempo que ninguém julga os homens. É um absurdo sem pé nem cabeça.

[...] Sempre digo que a vida moderna não é benéfica para as mulheres, porque os homens não são parceiros. Não são. E quando eles ajudam [esta última palavra foi pronunciada com cinismo], quem precisa do tipo de ajuda que oferecem? Sinto muito, mas ou é uma parceria de verdade, ou não é. Se um homem não está completamente comprometido, de todo o coração, ninguém deve fazê-lo [se tornar mãe]. Em nenhuma circunstância.

Até agora consideramos as circunstâncias que tornam a maternidade mais difícil, embora, por si sós, elas não necessariamente eliminassem o arrependimento. Para outras mães, a maternidade em si é intolerável. Algumas a descrevem com uma entidade completamente estranha.

Sky (mãe de três filhos, dois com idades entre 15 e 20 anos e um com idade entre 20 e 25 anos)

Sabe, é uma sensação *difícil*. De que eu não consigo desempenhar o *papel* que me cabe, cumprir meu dever de maneira responsável e satisfatória. E me pergunto por que tenho que sofrer. Talvez eu pudesse gostar, mas não consigo nem ao menos me imaginar gostando. Não consigo conceber a ideia de gostar de ser mãe, de gostar de ficar com os meus filhos. Não tenho paciência para isso.

Tirtza (mãe de dois filhos com idades entre 30 e 40 anos e avó)

Eu não tinha tempo suficiente e, *principalmente*, não queria ser mãe. Era *estranho* para mim. Mesmo quando um dos meus filhos me chama de "mamãe". *Até hoje*. Eu me viro para ver quem chamou, que mãe está sendo chamada. Eu não conseguia me conectar com a ideia, com a posição, com os significados, com as repercussões da... responsabilidade e do compromisso. Não me identifico com isso. Sobretudo por causa disso.

A ideia de que a maternidade em si, *per se*, possa ser intolerável para uma mulher é com frequência considerada inconcebível, já que supostamente seria sua razão de ser. Essa crença faz com que uma das reações mais frequentes seja considerar o arrependimento algo que se origina principalmente do conflito entre a maternidade e o trabalho remunerado. Essa suposição tem um contexto mais amplo no debate social, dado que a maternidade e o trabalho remunerado fora de casa são as duas únicas opções das mulheres no imaginário coletivo: ou você quer ser mãe ou quer se realizar profissionalmente.

A realidade, porém, pode ser bem diferente.

Em meu estudo anterior sobre mulheres que não queriam ser mães, ouvi mulheres que diziam que "ter uma carreira" estava tão distante do que elas desejavam quanto a maternidade. Muitas delas sabiam desde que eram meninas ou adolescentes que não queriam parir nem criar filhos; portanto, o desejo de uma mulher de não ser mãe não estava determinado nem vinculado ao conflito amplamente debatido: ele precede esse tipo de consideração.

Outras mulheres não apenas afirmaram que "só" queriam ou precisavam ganhar a vida, sem ambição de ter uma carreira, mas insistiram que o fato de não ser mães na verdade as "liberava" da corrida para ter uma carreira. As seguintes observações foram feitas, por exemplo, por diversas participantes do fórum da internet "Mulheres que não querem filhos":

Eu quero trabalhar (não ficar sentada em casa o dia todo) e também preciso trabalhar (para me sustentar), mas não tenho intenção de ter uma carreira. É importante, para mim, manter minhas atividades além do horário de trabalho e me parece que mesmo que eu transformasse um dos meus hobbies em profissão, sempre encontraria outros hobbies para minhas horas de lazer.

Acho irritante o fato de todos presumirem que uma carreira profissional exigente ou um hedonismo ilimitado sejam o centro da vida de uma pessoa sem filhos. Ao conhecer este fórum, fica óbvio que essas percepções não estão corretas. Música, filosofia e trabalho voluntário, por exemplo, são os tópicos dominantes aqui.

As pessoas falam o tempo todo sobre o dilema entre "carreira" e "filhos", mas talvez existam pessoas que não querem nem uma coisa nem outra. [...] Talvez existam pessoas que queiram apenas ganhar o suficiente para continuar a fazer o que gostam, mas não querem "fazer carreira" nem ser bem-sucedidas em uma profissão. Eu, pessoalmente, não estou interessada.[24]

Essa observação foi feita também em um estudo sobre homens e mulheres canadenses que não queriam ter filhos: "Em contraste com a dedicação e o afã de alguns casais sem filhos que têm ambições profissionais, alguns dos participantes responderam que estavam satisfeitos com o fato de não terem filhos, não só porque isso os deixava livres para progredir no âmbito profissional, mas porque os deixava livres para não ter que fazê-lo."[25]

Considerar a maternidade e a vida profissional as duas únicas opções existentes, ao mesmo tempo que se supõe que não há nenhuma outra razão para não querer ser mãe de ninguém, desconsidera a diversidade de identidades femininas; identidades que vão muito além de "ser a fêmea perfeita" ou "desejar ser como um homem". Supor que ou bem uma mulher quer parir e criar filhos ou quer competir na "esfera pública" oprime outros desejos verdadeiros de um número indeterminado de mulheres que não querem nem uma coisa nem outra. Mas não apenas isso. Também sufoca os desejos de mães que querem e podem ficar em casa criando os filhos sem serem vistas como "mulheres que renunciaram a si mesmas", como se a única maneira de se considerar que têm uma vida produtiva fosse demonstrando "verdadeiras conquistas".

A combinação do patriarcado (que estimula a maternidade) e o capitalismo (que estimula o "progresso" constante no espírito do "livre mercado") cria mais uma vez um binômio que não deixa espaço para as mulheres serem consideradas pelos outros (e também por si mesmas) seres humanos capazes de determinar por contra própria qual é o sentido de sua vida (sem que isso tenha necessariamente relação com a maternidade ou com uma carreira profissional) ou decidir que o sentido da vida é que não há sentido nenhum.

O vínculo entre mães e não mães no que diz respeito à questão das condições continua, já que se costuma dizer que as mulheres que renunciam a ter filhos o fazem em vista das condições que pintam a instituição da maternidade como algo opressivo. Um exemplo dessa percepção pode ser encontrado no texto a seguir, da escritora e jornalista americana Annalee Newitz, que escreveu sobre a "atração" que as pessoas sentem pelo infanticídio.[26] Newitz afirma, de maneira interessante, que a atração, nesses casos, não é pela ideia de infanticídio, mas na verdade tem a ver com a eliminação de percepções tradicionais da maternidade, uma vez que essas percepções asfixiam as mães. Newitz não é mãe e afirma que gostaria de ter e criar filhos em uma realidade social diferente, na qual não houvesse esse sufocamento. "Se eu vivesse em um lugar onde as crianças pudessem ser criadas em comunidade, com muitos pais amorosos em vez de apenas um ou dois, consideraria cuidar de filhos uma honra e um prazer. Se o cuidado com os filhos fosse tratado como uma forma de trabalho, e não como uma espécie de passatempo para depois da jornada de trabalho, envolvendo 'tempo de qualidade', eu também acharia a ideia de ter filhos mais atraente. A maternidade e a paternidade como as conheço, no entanto, são inaceitáveis, um fardo que quase sempre recai sobre os ombros das mulheres como uma tarefa que elas supostamente deveriam amar 'por natureza' e pela qual raramente recebem reconhecimento ou estima social significativa. Quando homens e mulheres de todas as orientações sexuais estiverem criando seus filhos de maneira respeitosa e comunitária, vou abandonar minha rebeldia reivindicatória, jogarei fora meus livros sobre crimes reais e ajudarei os homens a trocar fraldas. Até lá, não quero ser mãe."[27]

Com essas palavras, Newitz reproduz a visão de diversas mulheres que não querem ser mães em determinadas circunstâncias, mas gostariam de sê-lo se as circunstâncias fossem outras. Não obstante, outras mulheres não associam sua falta de vontade de ser mães à questão das condições: em meu estudo anterior, a maioria das participantes afirmou que, mesmo que fossem as mulheres mais ricas do planeta e/ou tivessem toda a ajuda necessária para criar um filho, continuariam sem querer ter ou criar filhos, já que *simplesmente* não desejam ser mães.

Obtive resultados similares para um questionamento que lancei em 2012 no fórum da internet "Mulheres que não querem filhos", no qual perguntava se havia alguma condição em que elas considerariam ser mães, como, por exemplo, em uma realidade cujo lema fosse "é preciso uma aldeia para criar uma criança" ou que estivesse de acordo com as premissas de Newitz. A maioria das mulheres que responderam disse que essa condição não existe. Em outras palavras, preferem permanecer não sendo mães, sejam quais forem as circunstâncias. As seguintes declarações de participantes do fórum representam esse sentimento:

> Bem lá no fundo, onde vive o seu verdadeiro eu, quando você não quer uma coisa, mesmo que não haja nenhuma razão aparente, não importa se uma aldeia ou um continente inteiro se juntariam a você para consegui-la. Quando há uma relutância forte e profunda, não

são necessárias nem mesmo palavras, definições ou explicações, nada importa. Não, não importa.

A relutância em ter filhos não se baseia na ideia de que seria difícil criá-los. É uma simples relutância, ponto.

Eu me perguntava se seria diferente se alguém ficasse com eles, se a gravidez e o parto fossem prazerosos e fáceis, mas continuo achando que não quero ter filhos.

Mesmo que eu vivesse em um mundo no qual outras pessoas pudessem me ajudar ou até mesmo criar os filhos por mim, isso não mudaria o fato de que não quero ter filhos simplesmente porque não sinto a necessidade nem o desejo de tê-los.[28]

Essa convicção firme também foi descrita pela jornalista e escritora alemã Sarah Diehl, que afirmou que não ser mãe não é necessariamente consequência de circunstâncias difíceis, pois os motivos subjacentes são multifacetados e muito pessoais, e algumas mulheres simplesmente não desejam ser mães, já que não têm uma vontade inicial de sê-lo.[29] Ou como a filósofa feminista norte-americana Diana Tietjens Meyer destaca ao analisar os limites da autonomia das mulheres em sua motivação para se tornarem mães: "[...] não devemos esquecer que algumas mulheres não desejam ter filhos nem se juntar a coletivos de criação de crianças em nenhuma circunstância."[30]

Estabelecer referências cruzadas entre as afirmações feitas por *mães que não queriam ser mães* e por mulheres que não desejam ser mães nos permite repensar a suposição comum de acordo com a qual o desejo de ser mãe e a adaptação à nova situação dependem apenas de um sistema de apoio multissistêmico que melhore as condições em torno das mulheres, permitindo que transitem com tranquilidade pela maternidade.

A conclusão mais precisa a que se pode chegar sobre esses diversos relatos é que não há conclusões precisas. Se há algo que se destaca neles é a variedade: há mulheres cuja vida mudaria para melhor se a sociedade pudesse lhes oferecer apoio, fornecendo-lhes condições apropriadas para criar seus filhos sem interferências como pobreza, solidão, constante punição social e competitividade. E há mulheres para as quais essas condições não são relevantes, uma vez que, mesmo que ainda tenham ou já tenham contado com toda a ajuda necessária, seguem querendo evitar ou desfazer o fato de ser mães de seus filhos.

De objetos a sujeitos: Mães como seres humanos, a maternidade como uma relação

De acordo com a socióloga israelense Eva Illouz, durante as últimas décadas, as famílias se tornaram uma arena ideal para realizar estudos de eficiência, semelhantes àqueles realizados no local de trabalho. Em contrapartida, a linguagem das emoções adentrou esse espaço de trabalho. Essa fusão levou ao que Illouz chama de "capitalismo emocional", no qual relações íntimas se tornaram quantificáveis e mensuráveis por meio de métodos de cálculo que lhes conferem características comerciais.[31]

Nesse estado de coisas, e uma vez que as próprias mães estão com frequência engajadas em uma rejeição sistemática e explícita da lógica das relações impessoais, individualistas e competitivas a fim de corresponder à noção de "boa mãe",[32] a postura emocional de se arrepender da maternidade pode ser considerada uma manifestação dessa troca de relações íntimas por cálculos frios de custo e benefício (à custa dos filhos). Consequentemente, as mães arrependidas tendem a ficar no fogo cruzado, uma vez que são consideradas mulheres frias cujo arrependimento se deve a uma hiper-racionalidade que caberia apenas na "esfera pública".

Entretanto, como mencionado, parece que as mães podem ter realizado avaliações emocionais e práticas desde a Antiguidade. A única coisa que mudava, de acordo com o contexto social e histórico, era a natureza das balanças para medi-las e sua decisão final. Alguns estudiosos afirmam, por exemplo, que, sob os preceitos religiosos dominantes do século XII – que consideravam as mulheres devotas heroínas e até mesmo mártires que deveriam ser louvadas –, algumas mulheres refletiam sobre sentimentos, necessidades e desejos que oscilavam entre os valores familiares e religiosos, o que finalmente as levava a abandonar seu lar e seus filhos por uma vida ascética em um convento.

Mesmo antes da ascensão do capitalismo, encontramos outro exemplo do fato de sopesar a eficiência à luz das tensões existentes entre os âmbitos da família e da maternidade/paternidade: os historiadores sociais determinaram, já na Idade Média, a existência de ambivalência em relação à ideia de ter filhos e criá-los. Junto com os textos religiosos que louvavam os nascimentos, junto com os textos relacionados com os aspectos políticos de ter descendência (por questões de sucessão entre as dinastias) e com os aspectos de caráter econômico de ter filhos (devido à necessidade de mão de obra), em muitos textos de literatura religiosa e secular dessa época a família é documentada de forma a discutir não apenas a individualidade, mas também a dedicação religiosa ou a dedicação à aquisição de conhecimento ou à filosofia. Uma das ideias incorporadas nesses escritos foi que ter filhos é um "castigo divino" – às vezes dito de maneira sarcástica ou com humor –, porque os filhos são uma fonte de problemas, preocupações, despesas financeiras e pesar.[33]

Eis o que reflete uma das histórias documentadas: "Em um conto popular de teor moralizante, um rei pergunta a um homem sábio se uma pessoa deve amar seus filhos. O homem sábio responde que em primeiro lugar se deve amar a Deus, depois a si mesmo, e só então aos filhos. Ele continuou dizendo que aquele que ama os filhos, 'sangue do seu sangue', mais do que a si mesmo investe toda a sua vitalidade e fortuna no bem-estar e no desenvolvimento deles, e não na redenção de sua própria alma [...]"[34]

E foi isso que Pedro Abelardo, monge do século XII, escreveu em uma de suas cartas a sua amada Heloísa: "Como conciliar os pupilos e as criadas, as bibliotecas e os berços, os livros e mesas e as rocas de fiar, os estilos e penas e os fusos? Quem deve se concentrar em meditações teológicas e filosóficas será capaz de suportar o choro dos bebês, as canções de ninar das amas de leite e toda a ruidosa multidão de criados, homens e mulheres, indo e vindo pela casa? Conseguirá tolerar a constante desordem e imundície que fazem as crianças pequenas?"[35]

Quer reconheçamos isso, quer não, relatos sobre o uso de balanças no que diz respeito à maternidade e à criação dos filhos também são bastante comuns nos dias de hoje. Aqueles que valorizam a maternidade como uma experiência valiosa e afirmam que as mulheres se beneficiam dela – argumento constantemente empregado para persuadi-las a terem filhos e criá-los – se valem todo o tempo de lógicas utilitárias. Essa retórica utilitária, no entanto, costuma ser transparente, camuflada de "natural", sobretudo quando as ponderações são concluídas com a balança pendendo para o lado da maternidade. A seguinte resposta à coluna que escrevi em um jornal sobre o arrependimento em relação à maternidade[36] é um exemplo de avaliação desse tipo, que tende a não provocar ruído devido a sua conclusão:

Na minha opinião...

Eles resmungam, são irritantes, "consomem" quase todo o seu salário, durante os primeiros anos você mal prega o olho e não tem mais tempo para si mesma. Para sair, é necessário montar toda uma "operação babá". Invejo minhas colegas solteiras quando bocejamos juntas no trabalho – elas podem ir para casa dormir enquanto eu volto para o "segundo turno", e a lista de desvantagens no que diz respeito a ter filhos nunca termina!

Mas... eu os adoro, fico louca com seus beijos e abraços, com as demonstrações físicas de afeto, com as risadas, com nosso infinito amor mútuo!

É muito difícil criá-los (sim, talvez eu seja um pouco egoísta) – mas entre isso e me arrepender de tê-los há uma diferença muito grande!

MÃES-SUJEITOS

Em outras palavras, os cálculos e as avalições são expostos e condenados integralmente apenas quando a balança pende na direção que aparentemente viola as normas afetivas da maternidade, como no caso do arrependimento, quando as mães reavaliam as desvantagens e os benefícios da maternidade e descobrem que esses últimos não existem.

Em grande parte por essa razão, eu mesma iniciei uma discussão sobre as vantagens e os inconvenientes da maternidade, como mencionado no Capítulo 3. Na maioria das vezes, eram as mães que empreendiam avaliações durante as entrevistas, a fim de esclarecer o que o arrependimento significava para elas.

Erika (mãe de quatro filhos com idades entre 30 e 40 anos e avó)

Abri mão da minha vida por eles. E acho, em retrospecto – não em retrospecto hoje, mas já naquela época – que a maternidade é ingrata. Gosto muito de ficar com as crianças, mas dizer que sou a pessoa mais feliz do mundo quando estou com eles? Mentira e fingimento. Mentira e fingimento. [...] Não há nenhuma razão no mundo para ter filhos. Regra geral: o sofrimento é demasiado intenso, as dificuldades, demasiado insuportáveis, e a dor, demasiado profunda para que eu pudesse aproveitar apenas agora na velhice. É assim.

No entanto, quando não faziam avaliações de forma independente durante a entrevista, eu estimulava isso deliberadamente: diante da ilusão de que a "esfera privada", a família e a maternidade são privadas de cálculos enquanto se ignora sua existência ao longo da história, eu queria observar o equilíbrio entre lucros e perdas como um fator que influencia de maneira significativa a percepção das mães como seres humanos, seres subjetivos que pensam, sentem, analisam, imaginam, avaliam e decidem.

Reconhecer as mães como sujeitos não é algo óbvio em uma sociedade na qual durante décadas a maternidade foi encarada como um papel, na qual o protagonismo era, sobretudo, dos relatos centrados nos filhos, e as mães eram objetos, simples variáveis cuja função era se ocupar da vida de outra pessoa.

Por conseguinte, a distinção feita por Judith Stadtman Tucker, ativista norte-americana a favor dos direitos das mães, entre a maternidade como papel e a maternidade como relacionamento é esclarecedora. Segundo ela, pensar e falar sobre a maternidade como uma relação em vez de um papel, um dever ou uma profissão permite a criação de múltiplos cenários maternais que acrescentam complexidade e variedade à vida das mulheres. Enquanto a maternidade for encarada como um papel que é preciso desempenhar, o único cenário gira em torno de funcionar como "a mãe perfeita", que é, na realidade, "a funcionária ideal", e a orientação é no sentido do trabalho baseado nos resultados, um projeto no qual as crianças são *tabulas rasas* nas quais as mães entalham suas linhas de triunfo ou de fracasso.

Encarar a maternidade como uma relação pode nos permitir entendê-la como uma conjunção entre dois indivíduos específicos que mantêm um relacionamento dinâmico e em constante mudança. Essa percepção nos permite deixar de lado as abordagens mecanicistas de acordo com as quais todas as mães deveriam se sentir da mesma maneira no que diz respeito à relação com seus filhos. Assim, poderíamos nos referir à maternidade como parte de um espectro de experiências humanas, em vez de um vínculo unilateral no qual as mães são responsáveis pelos filhos e influenciam sua vida sem serem afetadas por sua maternidade. Visto desse modo, seríamos capazes de examinar o espectro das emoções que implica a maternidade: do amor profundo à profunda ambivalência.[37] E, sim, também arrependimento.

Dessa forma, e uma vez que a postura emocional do arrependimento inclui avaliações, estimativas e decisões por parte dos sujeitos, não é de admirar que muitas das mães que participaram deste estudo estivessem ativamente envolvidas na avaliação dos benefícios e dos inconvenientes subjetivos da maternidade.

MÃES-SUJEITOS

Se de fato levarmos em conta que ser um sujeito é fazer esses cálculos e comparações, e que esses processos não são exclusivos da "esfera pública", então poderemos compreender em toda a sua profundidade quais são os significados mais amplos das expectativas sociais (já que não se espera que as mães façam essas comparações e avaliações). Em outras palavras, se a reação da sociedade diante das mães arrependidas é quase um ato reflexo e elas são consideradas culpadas de cometer um ato de horripilante racionalidade, fica mais claro como são privadas de seu direito de se manter conectadas com suas experiências e relações íntimas. São tratadas repetidas vezes como objetos que devem servir aos outros, não devendo parar nem por um minuto para avaliar seu estado, entre outros motivos porque a sociedade – que depende das mães como objetos – se sente ameaçada quando elas não se atêm a esse papel.

Esse tipo de expectativa e censura é perigoso, já que, *sem* fazer esses cálculos de custo-benefício na vida das mulheres em geral e na esfera da maternidade em particular, sem entendê-las em seu contexto social, as mães podem permanecer isoladas de si mesmas em suas casas. O lar pode se tornar uma esfera alienante, não apenas porque as mães pensam e sentem na solidão, mas porque não se permite que pensem e sintam por conta própria, e sim, isso inclui também avaliar seu estado.

Arrepender-se da maternidade, portanto, é uma das ocasiões que lança luz sobre a necessidade de repensar o ditame social que expulsa a racionalidade emocional do âmbito familiar. Ou seja, seria desejável não acreditar cegamente no que diz a racionalidade apenas quando suas conclusões apontam que a maternidade jamais pode ser vivenciada como um erro, mas sim em todos os casos.

As palavras de Tirtza, que descreveram com profundidade como as concepções de reprodução e maternidade são *a priori* carregadas de uma lógica utilitarista e por que o arrependimento faz um movimento orientado no sentido de revelar esse fato, servirão de resumo e resposta às perguntas que continuam abertas:

É importante dizer a nossos filhos por que nos arrependemos e qual foi o preço que pagamos por tê-los parido e criado. Acreditávamos que, se não o fizéssemos, nossa vida seria incompleta, que não seríamos capazes de fazer parte da sociedade. Era assim que víamos as pessoas inférteis e que não queriam adotar. Vidas limitadas e desperdiçadas. É claro que "tínhamos pena" delas, mas, no fundo de nossos corações, invejávamos sua liberdade e sua capacidade de viver a vida sem esse fardo, sem renúncias nem sacrifícios.

[...] Não sei como nem de que forma transmitir esta mensagem; escrever, conversar sobre o assunto, falar dele na televisão ou no rádio? Dar uma aula sobre ele? Falar sobre essas vacas sagradas, lavar toda a roupa suja e colocá-la para secar bem à vista, deixando que o sol incida sobre ela para que brilhe diante dos olhos das mulheres? Esses segredos. Essa obscuridade. Todos esses tabus.

Epílogo

Quando embarquei na jornada para explorar a profecia colérica do "você vai se arrepender", não imaginava os lugares a que chegaria. Supunha que os testemunhos das mães que participaram do estudo serviriam para aprofundar a compreensão da criação dos filhos e da maternidade, mas de repente me vi em um cenário muito diferente; no cruzamento de caminhos que me permitiriam observar como nos relacionamos com as nossas emoções conforme evoluímos e progredimos ao longo do eixo do tempo e como concebemos o tempo como algo inacessível ao desejo de desfazer o que está feito, ao mesmo tempo que se exige que esqueçamos de forma seletiva. Desse ponto de vista, pude perceber como as normas afetivas e as normas da memória, mesmo que estivesse claro desde o início que foram impostas pela cultura, agora parece mais claro ainda que acabaram se convertendo em um dos principais mecanismos sociais destinados a empurrar as mulheres para a maternidade, garantindo-lhes que nunca vão olhar para trás com raiva. Nem arrependimento.

Portanto, se nos empenhamos em ver a maternidade como um âmbito intocável pelo arrependimento – por mais que ele seja parte de todos os tipos de relação humana e seja consequência de muitas das decisões que tomamos –, não estamos levando em conta como as regras afetivas e as firmes convicções que temos acerca do curso das emoções e do tempo são usadas ou ignoradas a fim de perpetuar as ordens sociais e beneficiar quem as sustenta. Quando as pessoas não acreditam que existem mulheres que se arrependem da maternidade ou quando sentem raiva delas, na verdade estão dizendo que é perigoso que as mulheres olhem para trás e avaliem a transição para a maternidade como algo que não vale a pena. Imagino que isso não deva nos surpreender, pois repetidas vezes se exige que as mulheres em geral, e as mães em particular, se coloquem de lado e esqueçam de si mesmas. Talvez devêssemos repensar por que ficamos indignados quando as mulheres utilizam sua memória.

Essa desconfiança e essa raiva das mulheres que se arrependem de ser mães certamente têm raízes no caráter sagrado de parir e criar filhos, assim como na crença de que a maternidade é a coisa mais maravilhosa que pode acontecer a uma mulher, mesmo que não seja um mar de rosas. Suas raízes, porém, não estão apenas aí, mas também em uma sociedade capitalista e neoliberal que celebra o espírito do progresso ao mesmo tempo que nos impele diariamente a nos esforçar no sentido do aperfeiçoamento e do crescimento pessoal. De acordo com esse espírito, a concepção coletiva é de que a passagem do tempo vai acabar fazendo com que as mulheres se sintam à vontade com a maternidade; caso contrário, deveriam ser punidas por não se alinhar com a ilusão coletiva de que a maternidade conduz sempre a um final feliz.

Outra fonte de raiva está na distinção de gênero que fazemos ao tratar do arrependimento: como um sentimento arrebatado e visceral ou como um pensamento frio e calculado. Quando tratado como um sentimento arrebatado e visceral, as mulheres que se arrependem ficam sob fogo cruzado, pois são consideradas emocionalmente perigosas, incapazes de controlar seus sentimentos e superar seu lamento inútil: "Se nós, como sociedade, tivéssemos que compor um retrato do arrependimento, imagino que seria (inevitavelmente, temo que seria uma figura feminina) uma mulher sem força e de cabelos emaranhados, afundada nos braços inertes do passado."[1] Quando tratado como um pensamento frio e calculado, as mães ficam igualmente sob fogo cruzado, pois são encaradas como mulheres impiedosas que se arre-

EPÍLOGO

pendem devido a uma racionalidade exacerbada, reservada apenas aos homens e à "esfera pública". Em ambos os casos, essas mães ficam aprisionadas sob o jugo de uma sociedade na qual não há lugar para uma figura feminina que deseje ser mãe de ninguém sem ser rotulada como uma imitação masculina absurda ou uma mulher defeituosa que deveria ser banida de nossas vistas.

No entanto, a raiva se origina também do temor bastante simples e compreensível de que, se permitirmos que as mães expressem seu arrependimento diante da maternidade, elas acabem magoando seus filhos. Esse temor não estava dissociado da realidade enquanto eu testemunhava a angústia das mulheres que entrevistei e a profundidade de sua inquietação diante da possibilidade de seus filhos ficarem sabendo como elas se sentiam e o que pensavam.

Então por que deveríamos insistir em falar sobre o arrependimento diante da maternidade? Qual é o propósito de dar voz às mães arrependidas?

Mais de uma vez fui acusada de insistir no tema devido ao fato de ser uma mulher que não quer ser mãe. Aos olhos de meus acusadores, ao valorizar o arrependimento, estou tentando justificar minha própria falta de vontade de ser mãe ao buscar provas de que a maternidade é ruim para as mulheres e convencer outras mulheres a evitá-la.

Trata-se de uma associação um tanto distorcida, especialmente porque nunca senti que minha falta de vontade de ser mãe fosse um problema que precise ser resolvido (embora tenha sentido desde o primeiro dia que a sociedade a vê dessa forma). Meu objetivo não é exaltar o arrependimento materno. Tampouco me proponho diminuir a taxa de nascimento de filhos desejados ou criticar mulheres que queiram fervorosamente ser mães, porque sou a favor da maternidade nesses casos e porque não me sinto no direito de decidir por outras mulheres como viver sua vida nem presumo saber o que é melhor para elas. Esse tipo de "saber" arrogante no que diz respeito aos outros me tornaria exatamente igual ao patriarcado, que fala de maneira pretensiosa "em nome" das mulheres e "a seu favor".

Como mulher, como filha que sou, naturalmente, como socióloga e feminista, acredito que a questão deveria ser ao contrário: Quais são as consequências para a maternidade ao silenciar sobre o arrependimento? Quem paga o preço por fingir que ele não existe?

Este livro insiste que quem paga o preço são as mulheres que não querem ser mães, as mães que não querem ser mães e as que querem sê-lo, e os filhos, já que todos sofrem as consequências dessas ordens sociais que *os* convertem, que *nos* convertem, em embaixadores de um tipo de disposições que ostensivamente velam por todos nós, mas com muita frequência servem a todos os outros, mas não a nós mesmos.

Como mulher, como tia de três sobrinhas, como socióloga e feminista, acredito que a liberdade de escolha deveria estar ao alcance de todas, para garantir que mais mulheres tenham a oportunidade de ser donas de seu corpo, de sua vida e de suas decisões. O fato de a decisão de permanecer sem ser mãe de ninguém ainda estar sujeita a estereótipos, sanções e castigos mostra que não temos liberdade de escolha de fato.

Os significados profundos de minha insistência em falar sobre o arrependimento se revelaram também quando as mulheres que participaram do estudo o viram como um meio de documentar a si mesmas: algumas delas me pediram que lhes enviasse a transcrição de suas entrevistas mesmo um, dois ou três anos depois que nos conhecemos, para que pudessem ler suas palavras e fazer o esboço de um mapa mental e emocional. Seus comentários indicaram que o documento escrito e a capacidade de voltar a ele distanciadas pelo tempo, no futuro, têm grande valor para elas. Além disso, na correspondência que mantive com algumas delas ao longo dos anos, várias, ao descrever o estudo, usaram repetidamente a metáfora de "fornecer uma plataforma", uma plataforma que lhe permitisse se expressar e

EPÍLOGO

ter suas palavras publicadas, ouvidas e lidas, de forma que finalmente as pessoas pudessem ouvi-las e refletir sobre isso.

Sunny, por exemplo, falou sobre isso no fim de nosso encontro:

Eu vim preparada emocionalmente, sabendo que ia falar sobre isso e me abrir, e depois... esse assunto vai para um pequeno nicho atrás de mim, e eu imediatamente o escondo e sigo adiante. Não trato desse tema nas conversas diárias. Quando falo com pessoas próximas de mim, tentamos não nos aprofundar muito nisso, porque dói, é doloroso tocar na ferida repetidas vezes. Como ocorre com qualquer outra dor.

Não tenho problema em falar disso. Quando penso em vir falar com você, me parece divertido, porque falo sobre um assunto que é totalmente tabu, e falo com total liberdade e abertura, o quanto quiser. É como se eu estivesse indo para a terapia ou algo assim. Para qualquer outra pessoa, pode parecer algo terrível sobre o qual é proibido até mesmo falar, mas aqui posso falar livremente. Eu realmente gosto. A outra coisa é que eu definitivamente acho que posso salvar outras pessoas, então, para mim, vale a pena. Saio daqui hoje com uma sensação muito boa. Sei que estou ao mesmo tempo me libertando e ajudando outras mulheres. E isso faz com que me sinta bem.

A questão das implicações para todas nós – participantes, leitoras e pesquisadoras – marca a tênue linha sobre a qual andamos quando queremos criar uma sociologia crítica que lide com a essência de temas que causam incômodo, dor e feridas na vida das pessoas. Por um lado, lidar com esse tipo de tema pode ter, por si só, consequências torturantes; por outro, evitá-los pode fazer com que deixemos de compreender determinadas realidades e percamos a oportunidade de mudar algo. Essa foi uma das razões pelas quais as mulheres desejaram participar do estudo, como indicam, por exemplo, os comentários de Sunny.

Este livro é apenas o começo de um caminho. Acredito que ele vá se ramificar por outros domínios, já que, por exemplo, não analisou com a profundidade necessária as maneiras pelas quais o arrependimento das mães é aprisionado nos mitos neoliberais de "escolha", ideias às quais se recorre para induzir as mulheres a "tomar o caminho da maternidade" ("Escolha a maternidade, ou então..."), enquanto os grupos que fazem pressão permanecem imunes às consequências, que recaem sobre as mulheres que fazem a transição para a maternidade ("A escolha foi sua! Lide com ela!").

Além disso, uma análise mais profunda desse aprisionamento pode propiciar uma melhor compreensão da lógica social no que diz respeito à ideia de "responsabilidade": ao passo que, no terreno legal, expressar arrependimento é entendido como prova de que uma pessoa está assumindo responsabilidade por suas ações, no que diz respeito à criação dos filhos e à maternidade, o arrependimento é visto como uma recusa das mães a assumir qualquer responsabilidade. E ao passo que, no terreno legal, o arrependimento é encarado como uma prova da sanidade e da integridade moral de uma pessoa, expressar-se em termos similares na esfera da maternidade é visto como uma prova de imoralidade e de ausência de sanidade. Não estou afirmando que expressar arrependimento por um crime cometido – um ato que viola a ordem social – seja o mesmo que expressar arrependimento pela maternidade – um ato que torna realidade a ordem social. No entanto, os depoimentos das entrevistadas, como Tirtza, quando afirma que "É impossível. Não dá para consertar. Não dá para simplesmente dizer: bem, sim, prejudiquei a mim mesma, meus filhos e a sociedade", nos fazem ver como o arrependimento codifica um sentimento de responsabilidade moral que se segue a uma maternidade indesejada. Esse sentimento de responsabilidade transcende a "esfera privada", já que leva em conta suas consequências sociais. Portanto, em vez de tratar as mães arrependidas como mulheres egoístas e imorais que pensam apenas em si mesmas, pode-se fazer uma análise mais profunda do arrependimento diante da maternidade, que nos permita compreender como algumas vezes a própria ordem de que as mulheres devem cuidar apenas "de sua própria vida" – ou seja, tornar-se mães e cuidar

EPÍLOGO

apenas de seus próprios filhos – pode representar uma imoralidade, como a ativista e escritora feminista americana Ellen Peck afirmou: "[...] o egoísmo flagrante em nossa cultura fomenta o sentimento de que a caridade começa em casa, e assegura essa caridade ao oferecer frases nobres como 'é seu dever com relação a seus filhos' e 'a família em primeiro lugar'. A família acaba se tornando uma verdadeira esponja, que absorve qualquer prova de afeto que pudesse ser filtrada para o mundo exterior. [...] bebês e crianças, especialmente os nossos, podem nos fazer perder de vista a comunidade como um todo. Também podem prejudicar nossa autoestima, fazer como que nos subvalorizemos como homens e mulheres adultos."[2]

Para se ramificar, é preciso primeiro estabelecer um ponto de partida.

E foi o que eu fiz.

O resgate do que, ao que parece, é "deixado de lado" ou "excluído" da psique das mulheres e mães, assim como a disposição de ouvir o que é proibido pelas normas afetivas da maternidade, deixa claro que estamos diante de mapas emocionais complexos. Muito mais complexos do que a via principal que supostamente existe no mapa único traçado de acordo com ideias preconcebidas. Insistir em esboçar e descobrir novas rotas e mapas ao ouvir atentamente as mulheres que participaram deste estudo, assim como as mulheres que vieram antes e depois delas, é importante não apenas para as mães que se arrependem da transição para a maternidade. Também pode ser relevante para mulheres que não querem ser mães e para as mulheres que são mães, pois permite que elas trilhem novos caminhos, nos quais possam parar, se demorar, caminhar sem rumo, dar meia-volta e ficar pelo tempo que quiserem.

É preciso pavimentar esses caminhos. É nosso dever. Somos as mulheres que precisam ter o mundo nas mãos em vez de sucumbir sob seu peso. Somos as mulheres que precisam ser donas de nosso corpo e de nossa vida, donas de nossos pensamentos, sentimentos e imaginações. Sem *isso*, não haverá remédio.

Notas

Introdução

1. Dados do Escritório Central de Estatísticas de Israel: "Selected Data for International Women's Day 2015". Disponível em: <http://www.cbs.gov.il/reader/newhodaot/hodaa_template.html?hodaa=201511057>.
2. Dados do Banco Mundial: "Fertility rate, total (births per woman), 2015". Disponível em: <http://data.worldbank.org/indicator/SP.DYN.TFRT.IN>.
3. Em 1970, a colunista americana Ann Landers fez a seguinte pergunta em uma enquete metodologicamente controversa: "Se pudesse escolher de novo, você voltaria a ser pai/mãe?" Os editores receberam mais de 10 mil cartas de pais e mães, 70% dos quais responderam que não. Na minha opinião, a porcentagem dos que deram uma resposta negativa não é tão importante quanto o fato de uma enquete sobre esse tema ter sido realizada, especialmente levando em conta que isso aconteceu mais de quarenta anos atrás.
4. Um exemplo atualizado de tentativa de abordar o arrependimento diante da maternidade pode ser encontrado em uma coluna escrita em 2013, por Isabella Dutton, mãe e avó britânica. Disponível em: <http://www.dailymail.co.uk/femail/article-2303588/The-mother-says-having-children-biggest-regret-life.html>.
5. Orna Donath, "Regretting Motherhood: A Socio-Political Analysis", *Signs: Journal of Women in Culture and Society*, 2015, 40(2): 343-367.
6. Esther Göbel, "Sie wollen ihr Leben zurück", 5/4/2015. Disponível em: <http://www.sueddeutsche.de/gesundheit/unglueckliche-muetter-sie-wollen--ihr-lebenzurueck-1.2419449>.
7. Sara Ahmed, *The Cultural Politics of Emotion*, Edimburgo, Edinburgh University Press, 2004.
8. Carol A. B. Warren, "Qualitative Interviewing", *in* J. F. Gubrium e J. A. Holstein (orgs.), *Handbook of Interview Research: Context & Method*, Thousand Oaks/Londres/Nova Delhi, Sage, 2001, p. 83-101.
9. Janet Landman, *Regret: The Persistence of the Possible*, Nova York, Oxford University Press, 1993.

10. Ann Oakley, "Interviewing Women: A Contradiction in Terms", *in* Helen Roberts (org.), *Doing Feminist Research*, Londres, Routledge, 1981/1990, p. 30-61.

Capítulo 1

1. Nancy Chodorow, *The Reproduction of Mothering. Psychoanalysis and the Sociology of Gender*, Berkeley, University of California Press, 1978.
2. Simone de Beauvoir, *The Second Sex*, Londres, Random House, 2009[1949]. [Ed. bras.: *O segundo sexo*, Rio de Janeiro: Nova Fronteira, 2016.] Sherry B. Ortner, "Is Female to Male as Nature Is to Culture?", *Feminist Studies*, 1972, 1(2):5-31.
3. Simone de Beauvoir, *The Second Sex*, Londres: Random House, 2009 [1949]. [Ed. bras.: *O segundo sexo*, Rio de Janeiro: Nova Fronteira, 2016.] Shulamith Firestone, *The Dialectic of Sex*, Nova York, W. Morrow, 1970.
4. Mensagens escritas no fórum israelense na internet "Women who do not want children" e respostas a artigos meus publicados em jornais israelenses.
5. Rosalind Gill, "Culture and Subjectivity in Neoliberal and Postfeminist Times", *Subjectivity*, 2008, 25: 432-445. Kinneret Lahad, "The Single Woman's Choice as a Zero-Sum Game", *Cultural Studies*, 2014, 28(2): 240-266. Angela McRobbie, *The Aftermath of Feminism: Gender, Culture and Social Change*, Londres, Sage, 2009. Rickie Solinger, "Dependency and Choice: The Two Faces of Eve", *Social Justice*, 1998, 25(1): 1-27.
6. Ibid.
7. Moran Eisenstein, "Enough with the Badgering: What if I don't Want a Second Child?", *Ynet*, 22/8/11 [em hebraico]. Disponível em: <http://www.ynet.co.il/articles/0,7340,L-4110159,00.html>.
   Johanna, "Regretting Motherhood. Overkill und die Frage: Muss das wirklich sein?", *Das Leben Eben*, 21/4/15. Disponível em: <http://www.pink-e-pank.de/2015/04/21/regretting-motherhood-overkill-und-die-frage-muss-das-wirklich-sein/#comments>; <http://www.gutefrage.net/frage/ich-will-keine-kinder--haben-als-frau-ein-skandal>.
8. Susan Himmelweit, "More than 'A Woman's Right to Choose'?", *Feminist Review*, 1988, 29:38-56.
9. Costello, citado em Donna M.Y. Read, Judith Crockett e Robyn Mason, "'It Was a Horrible Shock': The Experience of Motherhood and Women's Family Size Preferences", *Women's Studies International Forum*, 2012, 35(1): 12-21.

NOTAS

10. Diana Tietjens Meyers, "The Rush to Motherhood: Pronatalist Discourse and Women's Autonomy", *Signs: Journal of Women in Culture and Society*, 2001, 26(3): 735-773.

11. Ibid.

12. Martha McMahon, *Engendering Motherhood. Identity and Self-Transformation in Women's Lives*, Nova York, The Guilford Press, 1995.

13. J. Fennell, "'It Happened One Night': The Sexual Context of Fertility Decision--Making", trabalho apresentado na reunião anual da Population Association of America realizada em Los Angeles, Califórnia, 2006. Tracy Morison. "Heterosexual Men and Parenthood Decision Making in South Africa: Attending to the Invisible Norm", *Journal of Family Issues*, 2013, 34(8): 1125-1144.

14. Pierre Bourdieu, *Language and Symbolic Power, in* John B. Thompson (org.), Cambridge, Mass.: Harvard University Press, 1992.

15. Tracy Morison, "Heterosexual Men and Parenthood Decision Making in South Africa: Attending to the Invisible Norm", *Journal of Family Issues*, 2013, 34(8): 1125-1144.

16. "Ich möchte keine Kinder – bitte akzeptiert das!", *Brigitte*. Disponível em: <http://www.brigitte.de/liebe/persoenlichkeit/freiwillig-kinderlos-1217739/>.

17. Diana Tietjens Meyers, "The Rush to Motherhood: Pronatalist Discourse and Women's Autonomy", *Signs: Journal of Women in Culture and Society*, 2001, 26(3):735-73.

18. J. Fennell, "'It Happened One Night': The Sexual Context of Fertility Decision-Making", trabalho apresentado na reunião anual da Population Association of America realizada em Los Angeles, Califórnia, 2006. Tracy Morison, "Heterosexual Men and Parenthood Decision Making in South Africa: Attending to the Invisible Norm", *Journal of Family Issues*, 2013, 34(8): 1125-1144.

19. Joanne Baker, "Discounting Disadvantage: The Influence of Neo-Liberalism on Young Mothers", *in Challenging Practices: The Third Conference on International Research Perspectives on Child and Family Welfare*, Mackay Centre for Research on Community and Children's Services, 2005.

20. Susie Louck Shemer, *The Experience of Mothers after the Birth of the First Child and the Relationship of the Couple, in the Ultra-Orthodox and Secular Israeli Society*, dissertação de mestrado [em hebraico], Jerusalém, The Hebrew University, 2009.

21. Citada em Swantje Wallbraun, "Ich bekam Kinder aus Angst, einsam zu sein", *Die Welt*, 9/9/07. Disponível em: <http://www.welt.de/politik/article1169277/Ich-bekam-Kinder-aus-Angst-einsam-zusein.html>.

MÃES ARREPENDIDAS

22. Ann Crittenden, *The Price of Motherhood. Why the Most Important Job in the World is Still the Least Valued*, Nova York, Henry Holt and Company, 2001.

23. Aafke Komter, "Hidden Power in Marriage", *Gender & Society*, 1989, 3(2): 187-216.

24. Catharine MacKinnon, *A Sex Equality Approach to Sexual Assault*, Anais da Academia de Ciências de Nova York, 2003, 989, 265-275.

25. Kinneret Lahad, "The Single Woman's Choice as a Zero-Sum Game", *Cultural Studies*, 2014, 28(2): 240-266.

Capítulo 2

1. Tamar Hager, "Making Sense of an Untold Story: A Personal Deconstruction of the Myth of Motherhood", *Qualitative Inquiry*, 2011, 17(1): 35.

2. Jean B. Elshtain, *Public Man, Private Woman*, Princeton, NJ, Princeton University Press, 1981. Sharon Hays, *The Cultural Contradictions of Motherhood*, New Haven, Yale University Press, 1996. Carole Pateman, "Feminist Critiques of the Public/Private Dichotomy", *in The Disorder of Women: Democracy, Feminism and Political Theory*, Cambridge, Polity Press, 1989, p. 118-140.

3. Shulamith Firestone, *The Dialectic of Sex*, Nova York, W. Morrow, 1970.

4. Sharon Hays, *The Cultural Contradictions of Motherhood*, New Haven, Yale University Press, 1996.

5. Terry Arendell, "Conceiving and Investigating Motherhood: The Decade's Scholarship", *Journal of Marriage and The Family*, 2000, 62(4): 1192-1207. Nancy Scheper-Hughes, *Death Without Weeping: The Violence of Everyday Life in Brazil*, Berkeley, University of California Press, 1992.

6. Tamar Hager, "Making Sense of an Untold Story: A Personal Deconstruction of the Myth of Motherhood", *Qualitative Inquiry*, 2011, 17(1): 35.

7. Terry Arendell, "Conceiving and Investigating Motherhood: The Decade's Scholarship", *Journal of Marriage and The Family*, 2000, 62(4): 1192-1207. Sharon Hays, *The Cultural Contradictions of Motherhood*, New Haven, Yale University Press, 1996.

8. Rozsike Parker, "Why Study the Maternal". Disponível em: <http://www.mamsie.bbk.ac.uk>.

9. Sharon Hays, *The Cultural Contradictions of Motherhood*, New Haven, Yale University Press, 1996.

10. Kelly Oliver, *Knock Me Up, Knock Me Down: Images of Pregnancy in Hollywood Films*, Nova York, Columbia University Press, 2012.

NOTAS

11. Gabriele Möller, "Regretting Motherhood – Darf man es bereuen, Mutter zu sein?", Urbia. Disponível em: <http://www.urbia.de/magazin/familienleben/muetter/regretting-motherhood-darfman-es-bereuen-mutter-zu-sein>.

12. Kelly Oliver, *Knock Me Up, Knock Me Down: Images of Pregnancy in Hollywood Films*, Nova York, Columbia University Press, 2012. Imogen Tyler, "Pregnant Beauty: Maternal Femininities under Neoliberalism", *in* Rosalind Gill e Christina Scharff (orgs.), *New Femininities: Post feminism, Neoliberalism and Subjectivity*, Basingstoke, Reino Unido, Palgrave Macmillan, 2011, p. 21-36.

13. Arlie Russell Hochschild, "Ideology and Emotion Management: A Perspective and Path for Future Research", *in* T.D. Kemper (org.), *Research Agendas in the Sociology of Emotion*, Albany, Sunny Press, 1990, p. 122.

14. Terry Arendell, "Conceiving and Investigating Motherhood: The Decade's Scholarship", *Journal of Marriage and The Family*, 2000, 62(4): 1192-1207.

15. Resposta ao debate n° 24 do artigo: Orna Donath, "I love my children but rather they would not be here", *Ynet*, 25/6/09 [em hebraico]. Disponível em: <http://www.ynet.co.il/articles/0,7340,L-3734681,00.html>.

16. Debate n° 23 do artigo "Debatte um #regrettingmotherhood: Mütter, die keine sein wollen", *Spiegel Online*, 13/4/15. Disponível em: <http://www.spiegel.de/panorama/gesellschaft/regrettingmotherhood-muetter-die-keinesein-wollen--a-1028310.html#js-article-comments-box-pager>.

17. Esse argumento se baseia na afirmação de Finch de que "as famílias precisam ser 'exibidas' além de 'formadas'". Ver: Janet Finch, "Displaying Families", *Sociology*, 2007, 41(1): 65-81.

18. Citado em Simone de Beauvoir, *The Second Sex*, Londres, Random House, 2009[1949]. [Ed. bras.: *O segundo sexo*, Rio de Janeiro: Nova Fronteira, 2016.]

19. Susan Maushart, *The Mask of Motherhood. How Becoming a Mother Changes Everything and Why We Pretend It Doesn't*, Nova York, Penguin Books, 1999. [Ed. bras.: *A máscara da maternidade: Por que fingimos que ser mãe não muda nada?*, São Paulo, Melhoramentos, 2006.]

20. Judith Butler, "Imitation and Gender Insubordination", *in* Diana Fuss (org.), *Inside/Out: Lesbian Theories, Gay Theories*, Nova York e Londres: Routledge, 1991.

21. R.D. Laing, *The Politics of the Family [and other essays]*, Londres, Pelican Books, 1969.

22. Terry Arendell, "Conceiving and Investigating Motherhood: The Decade's Scholarship", *Journal of Marriage and The Family*, 2000, 62(4): 1192-1207.

23. Barbara Ehrenreich e Deirdre English, *For Her Own Good*, Nova York, Anchor Books, 1979. [Ed. bras.: *Para seu próprio bem*, Rio de Janeiro, Rosa dos Tempos, 2003.]

24. Sarah Rudell Beach, "Honoring maternal ambivalence", 17/11/14. Disponível em: <http://leftbrainbuddha.com/honoring-maternal-ambivalence-motherhood-conflicted/>.

25. Ibid.

26. Terry Arendell, "Conceiving and Investigating Motherhood: The Decade's Scholarship", *Journal of Marriage and The Family*, 2000, 62(4): 1192-1207.

27. Rozsika Parker, "Maternal Ambivalence", *in* Laurence Spurling (org.), *Winnicott Studies No. 9*, Londres, Squiggle Foundation, 1994, p. 3-17.

28. Irene Tazi-Preve, "Motherhood in Patriarchal Society: The Case of Germany and Austria", *in* Erella Shadmi (org.), *Mother's Way*, Israel, Resling, 2015, p. 67-82 [em hebraico].

29. Adrienne Rich, *Of Woman Born: Motherhood as Experience and Institution*, Nova York, Norton, 1976, p. 21.

30. Rozsika Parker, "The Production and Purposes of Maternal Ambivalence", *in* Wendy Hollway e Brid Featherstone (orgs.), *Mothering and Ambivalence*, Londres e Nova York, Routledge, 1997, p. 16-36 [p. 17].

31. Joan Raphael-Leff, "Healthy Maternal Ambivalence", *Studies in the Maternal*, 2010, 2(1): 1-15.

32. Kristin, "My Postpartum Confession", *Little Mama Jama*, 12/1/11. Disponível em: <http://littlemamajama.com/2011/12/01/my-postpartum-depression-confession/>.

33. Joan Raphael-Leff, "Healthy Maternal Ambivalence", *Studies in the Maternal*, 2010, 2(1): 1-15.

34. Rozsika Parker, "Maternal Ambivalence", *in* Laurence Spurling (org.), *Winnicott Studies No. 9*, Londres, Squiggle Foundation, 1994, p. 3-17 [p. 8].

35. Ibid.

36. Anat Palgi-Hecker, *Mother in Psychoanalysis: A Feminist View*, Tel-Aviv, Am Oved Publishers, 2005 [em hebraico].

37. Nikki Shelton e Sally Johnson, "'I Think Motherhood for me was a bit Like a Double-Edged Sword': The Narratives of Older Mothers", *Journal of Community & Applied Social Psychology*, 2006, 16(4): 327.

Capítulo 3

1. Alberto Melucci, *The Playing Self. Person and Meaning in the Planetary Society*, Cambridge, Cambridge University Press, 1996.

2. Ver: Barbara Adam, *Timewatch: The Social Analysis of Time*, Cambridge, Polity Press, 1995, p. 39.

3. Kerry J. Daly, *Families and Time. Keeping Pace in a Hurried Culture*, Thousand Oaks/Londres, Sage, 1996.

NOTAS

4. Alberto Melucci, *The Playing Self. Person and Meaning in the Planetary Society*, Cambridge, Cambridge University Press, 1996.

5. Daniel Kahneman e Amos Tversky, "The Psychology of Preferences", *Scientific American*, 1982, 246(1): 160-173.

6. Janet Landman, *Regret: The Persistence of the Possible*, Nova York, Oxford University Press, 1993.

7. Citado em Karen Davies, "Capturing Women's Lives: A Discussion of Time and Methodological Issues", *Women's Studies International Forum*, 1996, 19(6): 581.

8. Eviatar Zerubavel, "Social Memories: Steps to a Sociology of the Past", *Qualitative Sociology*, 1996, 19(3): 283-299.

9. Andrew S. Horne, "Reflections on Remorse in Forensic Psychiatry", *in* Murray Cox (org.), *Remorse and Reparation*, Londres/Filadélfia, Jessica Kingsley Publishers, 1999, p. 21-31.

10. Muzzamil Siddiqi, "Forgiveness: Islamic Perspective", *OnIslam*, 21/3/11. Disponível em: <http://www.islamawareness.net/Repentance/perspective.html >.

11. Janet Landman, *Regret: The Persistence of the Possible*, Nova York, Oxford University Press, 1993.
Eviatar Zerubavel, "Social Memories: Steps to a Sociology of the Past", *Qualitative Sociology*, 1996, 19(3): 283-299.

12. Neal J. Roese e Amy Summerville, "What We Regret Most... and Why", *Personality and Social Psychology Bulletin*, 2005, 31(9): 1273-1285.

13. Diana L. Dumanis, *Talking about Abortion: A Qualitative Examination of Women's Abortion Experiences*, UMI Dissertations, Universidade de New Hampshire, 2006.

14. Susan Frelich Appleton, "Reproduction and regret", *Yale Journal of Law and Feminism*, 2011, 23(2): 255-333.

15. Baine B. Alexander, Robert L. Rubinstein, Marcene Goodman e Mark Luborsky, "A Path Not Taken: A Cultural Analysis of Regrets and Childlessness in the Lives of Older Women", *The Gerontologist*, 1992, 32(5): 618-26.

16. Lanette Ruff, *Religiosity, Resources, and Regrets. Religious and Social Variations in Conservative Protestant Mothering*, tese de doutorado, Universidade de New Brunswick, Canadá, 2006.

17. Janet Landman, *Regret: The Persistence of the Possible*, Nova York, Oxford University Press, 1993.

18. Lisa Heffernan Endlich, "Why I regret being a stay-at-home-mom", 17/8/2013, <http://www.huffingtonpost.com/grown-and-flown/why-i-regret-being-a-stay--at-homemom_b_3402691.html>.

19. Katrina Kimport, "(Mis)Understanding Abortion Regret", *Symbolic Interaction*, 2012, 35(2): 105-122. Barbara Katz Rothman, *Recreating Motherhood*, New Jersey, Rutgers University Press, 1989/2000.

20. Katrina Kimport, "(Mis)Understanding Abortion Regret", *Symbolic Interaction*, 2012, 35(2):105-122.

21. Carolyn Morell, *Unwomanly Conduct: The Challenges of Intentional Childlessness*, Londres, Routledge, 1994.

22. Arthur G. Neal, Theodore H. Groat e Jerry W. Wicks, "Attitudes about Having Children: A Study of 600 Couples in the Early Years of Marriage", *Journal of Marriage and the Family*, 1989, 51(2): 313-327.

23. Jesse Shirley Bernard, *The Future of Motherhood*, Nova York, Dial Press, 1974.

24. Anat Palgi-Hecker, *Mother in Psychoanalysis: A Feminist Review*, Tel-Aviv, Am Oved Publishers, 2005.

25. Ruth Quiney, "Confessions of the New Capitalist Mother: Twenty-first-century Writing on Motherhood as Trauma", *in Women: A Cultural Review*, 18(1), p. 19-40.

26. Tamar Hager, "Making Sense of an Untold Story: A Personal Deconstruction of the Myth of Motherhood", *Qualitative Inquiry*, 2011, 17(1):36.

27. Sheila Kitzinger, "Birth and Violence Against Women. Generating Hypotheses from Women's Accounts of Unhappiness after Child Birth", *in* Helen Robert (org.), *Women's Health Matters*, Nova York, Routledge, 1992, p. 63-80.

28. Susan Maushart, *The Mask of Motherhood. How Becoming a Mother Changes Everything and Why We Pretend It Doesn't*, Nova York, Penguin Books, 1999. [Ed. bras.: *A máscara da maternidade: Por que fingimos que ser mãe não muda nada?*, São Paulo, Melhoramentos, 2006.] Sheila Kitzinger, "Birth and Violence Against Women. Generating Hypotheses from Women's Accounts of Unhappiness after Child Birth", *in* Helen Robert (org.), *Women's Health Matters*, Nova York, Routledge, 1992, p. 63-80.

29. Harriet Rosenberg, "Motherwork, Stress, and Depression: The Costs of Privatized Social Reproduction", *in* Bonnie Fox (org.), *Family Patterns, Gender Relations*, 2. ed., Oxford, Reino Unido, Oxford University Press, 2011, p. 303-316.

30. Eva Illouz, *Cold Intimacies: The Making of Emotional Capitalism*, Cambridge, Polity Press, 2007.

Capítulo 4

1. Naomi Wolf, *Misconceptions. Truth, Lies, and the Unexpected on the Journey of Motherhood*, Nova York, Anchor Books, 2001/2003.

2. Luce Irigaray, "And the One Doesn't Stir without the Other", *Signs*, 1981, 7(1), p. 67.

NOTAS

3. Rachel Cusk, "The Language of Love", *Guardian*, 12/9/01, citada em Ruth Quiney, "Confessions of the New Capitalist Mother: Twenty-first-century Writing on Motherhood as Trauma", *Women: A Cultural Review*, 2007, 18(1), p. 32.

4. Rachel Cusk, "The Language of Love", *Guardian*, 12/9/01, citada em Ruth Quiney, "Confessions of the New Capitalist Mother: Twenty-first-century Writing on Motherhood as Trauma", *Women: A Cultural Review*, 2007, 18(1), p. 30.

5. Patricia Hill Collins, "Shifting the Center: Race, Class, and Feminist Theorizing about Motherhood", *in* E.N. Glenn, G. Chang e R. Forcey (orgs.), *Mothering: Ideology, Experience and Agency*, Nova York, Routledge, 1994, p. 45-65 [p. 58].

6. Effie Ziv, "Insidious Trauma", *Mafte'akh: Lexical Review of Political Thought*, 2012, 5: 55-74 [em hebraico].

7. Naomi Wolf, *Misconceptions. Truth, Lies, and the Unexpected on the Journey of Motherhood*, Nova York, Anchor Books, 2001/2003, p. 7.

8. Citado em Lea Thies, "'Ich liebe mein Kind, aber...' – wenn Mütter mit ihrer Rolle hadern", *Augsburger Allgemeine*, 10/5/15. Disponível em: <http://www.augsburger-allgemeine.de/panorama/Ich-liebe-mein-Kind-aber-wenn-Muetter--mit-ihrer-Rolle-hadern-id33989927.html>.

9. Martha McMahon, *Engendering Motherhood. Identity and Self-Transformation in Women's Lives*, Nova York, The Guilford Press, 1995, p. 136.

10. Ver, por exemplo: Philippe Ariès, *Centuries of Childhood – A Social History of Family Life*, Nova York, Alfred A. Knopf, 1962, e Elisabeth Badinter, *Mother love: Myth and reality. Motherhood in modern history*, Nova York, Macmillan, 1981.

11. Ver, por exemplo: Elisheva Baumgarten, *Mother and Children: Jewish Family Life in Medieval Europe*, Princeton, NJ, Princeton University Press, 2004, e Shulamith Shahar, *Childhood in the Middle Ages*, Londres, Routledge, 1990.

12. Nancy Scheper-Hughes, *Death Without Weeping: The Violence of Everyday Life in Brazil*, Berkeley, University of California Press, 1992.

13. Sara Ahmed, *The Cultural Politics of Emotion*, Edimburgo, Edinburgh University Press, 2004, p. 124.

14. Debate n° 4 do artigo: Orna Donath, "I love my children but rather they would not be here", *Ynet*, 25/6/09 [em hebraico]. Disponível em: <http://www.ynet.co.il/articles/0,7340,L-3734681,00.html>.

15. Carol Gilligan, *In a Different Voice*, Cambridge, MA, Harvard University Press, 1982.

16. Diana L. Gustafson, *Unbecoming Mothers: The Social Production of Maternal Absence*, Nova York, Haworth Clinical Practice Press, 2005, p. 3.

MÃES ARREPENDIDAS

17. Karen Davies, "Capturing Women's Lives: A Discussion of Time and Methodological Issues", *Women's Studies International Forum*, 1996, 19(6): 579-588.

18. Karen Davies, *Women, Time, and the Weaving of the Strands of Everyday Life*, Aldershot, Avebury, Gower, 1990.

19. Arlie Russell Hochschild, *The Time Bind: When Work Becomes Home and Home Becomes Work*, Nova York, Henry Holt and Company, 1997/2001.

20. Christina Mundlos citada em Madeleine Gullert, "Unglückliche Mütter, die ihr Leben zurückwollen", *Achener Zeitung*, 3/5/15. Disponível em: <http://www.aachener-zeitung.de/lokales/region/unglueckliche-muetter-die-ihr-lebenzurue-ckwollen-1.1082182#plx492700333>.

21. Jacinta Nandi, "Alleine mit dem Hass der Gesellschaft", Jacinta Nandi zu #regrettingmotherhood, *resonanzboden*, 8/5/15. Disponível em: <http://www.resonanzboden.com/streitfall/alleine-mit-dem-hass-der-gesellschaft-jacinta--nandi-regrettingmotherhood/>.

22. Jennifer Senior, *All Joy and No Fun: The Paradox of Modern Parenthood*, Nova York, Harper Collins Publishers, 2014.

23. Barbara Katz Rothman, *Recreating Motherhood*, Nova Jersey, Rutgers University Press, 1989/2000, p. 10.

24. Andrea O'Reilly e Marie Porter, "Introduction", *in* Marie Porter, Patricia Short e Andrea O'Reilly (orgs.), *Motherhood. Power and Oppression*, Toronto, Women's Press, 2005, p. 1-22 [p. 5].

25. Diana L. Gustafson, *Unbecoming Mothers: The Social Production of Maternal Absence*, Nova York, Haworth Clinical Practice Press, 2005.

26. Ibid., p. 23.

27. Lylah M. Alphonse, "The Opposite of a 'Tiger Mother': Leaving Your Children Behind", Yahoo! Shine, 3/4/11. Disponível em: <http://shine.yahoo.com/parenting/the-opposite-of-a-tiger-mother-leaving-your-childrenbehind-2460982.html>.

28. Wibke Bergemann, "Wenn die Mutter nach der Trennung auszieht", *Deutschlandradio Kultur*, 29/6/15. Disponível em: <http://www.deutschlandradiokultur.de/tabubruch-wenn-die-mutter-nach-der-trennungauszieht.976.de.html?dram:article_id=323905>.

29. Orna Donath, "The More the Merrier? Some Cultural Logics of the Institution of Siblingship in Israel", *Israeli Sociology*, 2013, 15(1): 35-57 [em hebraico]. Ann Laybourn, "Only children in Britain: Popular stereotype and research Evidence", *Children & Society*, 1990, 4(4): 386-400. Adriean Mancillas, "Challenging the stereotypes about only children: A review of the literature and implications for practice", *Journal of Counseling & Development*, 2006, 84(3), 268-275.

NOTAS

30. "Means of promoting procreation in developed countries – a comparative review", 2010. Disponível em: <http://www.knesset.gov.il/mmm/data/pdf/m02646.pdf>.

31. Donna M.Y. Read, Judith Crockett e Robyn Mason, "'It Was a Horrible Shock': The Experience of Motherhood and Women's Family Size Preferences", *Women's Studies International Forum*, 2012, 35(1): 12-21.

32. "Bericht über die Sondererhebung 2006; 'Geburten in Deutschland'", Statistisches, Bundesamt, 2008. Disponível em: < https://www.destatis.de/DE/Publikationen/Thematisch/Bevoelkerung/Bevoelkerungsbewegung/GeburtenKinderlosigkeit5126401089004.pdf?__blob=publicationFile>.

33. Ian Craib, *The Importance of Disappointment*, Londres, Routledge, 1994.

Capítulo 5

1. Citado de Isabella Dutton, "The mother who says having these two children is the biggest regret of her life", *Mail Online*, 4/3/13. Disponível em: <http://www.dailymail.co.uk/femail/article-2303588/The-mother-says-having-children-biggest-regret-life.html>.

2. Birgit Kelle, "Grow Up!", *The European, Das Debatten-Magazin*, 20/4/15. Disponível em: <http://www.theeuropean.de/birgit-kelle/10048-selbstmitleid-im-internet>.

3. Johanna, "Regretting Motherhood. Overkill und die Frage: Muss das wirklich sein?", *Pinkepank*, 21/4/15. Disponível em: <http://www.pink-e-pank.de/2015/04/21/regretting-motherhood-overkill-und-die-frage-muss-das-wirklich-sein/>.

4. Ruth Quiney, "Confessions of the New Capitalist Mother: Twenty-first-century Writing on Motherhood as Trauma", *Women: A Cultural Review*, 2007, 18(1):19-40.

5. Nadine, "Plädoyer für ein Tabu. #regrettingmotherhood", *Berliner kinderzimmer, kleines blogmagazin*, 9/4/15. Disponível em: <https://www.berliner-kinderzimmer.de/2015/04/09/pl%C3%A4doyer-f%C3%BCr-ein-tabu-regrettingmotherhood/>.

6. Angelika Wende, "Regretting Motherhood oder warum Kinder als Schuldige für ein unerfülltes Leben herhalten müssen", 19/4/15. Disponível em: <http://angelikawende.blogspot.de/2015/04/aus-der-praxis-regretting-motherhood.html>.

7. Sasha Worsham Brown, "My Mom Told Me She Regrets Having Children", Yahoo!, 1/5/15. Disponível em: <https://www.yahoo.com/parenting/what-if-you-regret-having-children-117620834597.html>.

8. Sara Ahmed, *Queer Phenomenology: Orientations, Objects, Others*, Durham, Duke University Press, 2006.

MÃES ARREPENDIDAS

9. Eviatar Zerubavel, *The Elephant in the Room: Silence and Denial in Everyday Life*, Oxford, Oxford University Press, 2006.

10. Judith Jack Halberstam, *The Queer Art of Failure*, Durham, Duke University Press, 2011. Sam McBean, "Queer Temporalities", *Feminist Theory*, 2013, 14(1): 123-128. Kathryn Bond Stockton, *The Queer Child, or Growing Sideways in the Twentieth Century*, Durham, Duke University Press, 2009.

11. Judith Jack Halberstam, *The Queer Art of Failure*, Durham, Duke University Press, 2011, p. 27.

12. Sara Ahmed, *Queer Phenomenology: Orientations, Objects, Others*, Durham: Duke University Press, 2006. Judith Jack Halberstam, *The Queer Art of Failure*, Durham, Duke University Press, 2011.

13. Kathy Weingarten, "Radical Listening", *Journal of Feminist Family Therapy*, 1995, 7(1-2): 7-22.

14. Ann Snitow, "Feminism and Motherhood. An American Reading", *Feminist Review*, 1992, 40: 33.

15. Kathy Weingarten, "Radical Listening", *Journal of Feminist Family Therapy*, 1995, 7(1-2): 7-22.

16. Ibid.

17. Luce Irigaray, "And the One Doesn't Stir without the Other", *Signs*, 1981, 7(1): 63.

Capítulo 6

1. Janet Landman, *Regret: The Persistence of the Possible*, Nova York, Oxford University Press, 1993.

2. Avery F. Gordon, *Ghostly Matters. Haunting and the Sociological Imagination*, Minneapolis, University of Minnesota Press, 2008, p. 5.

3. Informe de 2015 sobre o Estado Mundial das Mães (The Complete Mothers' Index). Disponível em: <http://passthrough.fw-notify.net/download/943489/ http://www.savethechildren.org/atf/cf/%7B9def2ebe-10ae-432c-9bd0-df91d2eba74a%7D/SOWM_2015.PDF>. "In Norwegen geht es Müttern am besten", *Frankfurter Allgemeine Zeitung*, Familie, 5/5/15, <http://www.faz.net/aktuell/feuilleton/familie/internationaler-muetter-index-norwegen-vorn-13575261.html>.

4. Ver, por exemplo: Patricia Hill Collins, "Shifting the Center: Race, Class, and Feminist Theorizing about Motherhood", *in* E.N. Glenn, G. Chang e R. Forcey (orgs.), *Mothering: Ideology, Experience and Agency*, Nova York, Routledge,

NOTAS

1994, p. 45-65. Barbara Ehrenreich e Russell Arlie Hochschild (orgs.), *Global Woman: Nannies, Maids and Sex Workers in the New Economy*, Nova York, Metropolitan Books, 2002. bell hooks, "Homeplace. A Site of Resistance", *in* Andrea O'Reilly (org.), *Maternal Theory. Essential Reading*, Toronto, Demeter Press, 2007, p. 266-273. Shelley M. Park, *Mothering Queerly, Queering Motherhood. Resisting Monomaternalism in Adoptive, Lesbian, Blended, and Polygamous Families*, Albany, NY, Sunny Press, 2013. Rickie Solinger, *Pregnancy and Power. A Short History of Reproductive Politics in America*, Nova York, New York University Press, 2005.

5. Diane Pearce, "The Feminization of Poverty: Women, Work, and Welfare", *Urban and Social Change Review*, 1978, 11(1-2): 28-36.

6. Sarit Sambol e Orly Benjamin, "Motherhood and Poverty in Israel: The place of Motherhood in the lives of the Working Poor", *Social Issues in Israel*, 20, 1(2): 31-63 [em hebraico]. Sarit Sambol e Orly Benjamin, "Structural and Gender Based Interruptions in Women's Work History: the entrenchment of opportunity structures for the working poor", *Israeli Sociology*, 2007, 9(1): 5-37 [em hebraico].

7. Evelyn Nakano Glenn, "Social Constructions of Mothering: A Thematic Overview", *in* E.N. Glenn, G. Chang e R. Forcey (orgs.), *Mothering: Ideology, Experience and Agency*, Nova York, Routledge, 1994, p. 1-29 [p. 5-6].

8. Simone Blaß, "Ist Zwischen den Stühlen der beste Platz?", *T-Online*, 8/9/14. Disponível em: <http://www.t-online.de/eltern/familie/id_60660608/eine--teilzeitmutter-berichtet.html>.

9. Arlie Russell Hochschild, *The Time Bind: When Work Becomes Home and Home Becomes Work*, Nova York, Henry Holt and Company, 1997/2001. Arlie Russell Hochschild, *The Second Shift: Working Parents and the Revolution at Home*, Nova York, Viking Penguin, 1989.

10. "EU-Vergleich: Mütter arbeiten seltener, Väter häufiger als Kinderlose", *Statistisches Bundesamt*. Disponível em: <https://www.destatis.de/Europa/DE/Thema/BevoelkerungSoziales/Arbeitsmarkt/ElternErwerb.html>.

11. Emily Jeremiah, "Murderous Mothers. Adrienne Rich's Of Woman Born and Toni Morisson's Beloved", *in* Andrea O'Reilly (org.), *From Motherhood to Mothering: The Legacy of Adrienne Rich's Of Woman Born*, Nova York, State University of New York Press, 2004, p. 59-71.

12. Nancy Chodorow e Susan Contratto, "The Fantasy of the Perfect Mother", *in* Nancy Chodorow (org.), *Feminism and Psychoanalytic Theory*, New Haven, Yale University Press, 1989, p. 90.

13. bell hooks, "Homeplace. A Site of Resistance", *in* Andrea O'Reilly (org.), *Maternal Theory. Essential Reading*, Toronto, Demeter Press, 2007, p. 266-273 [p. 147].

14. Barbara Katz Rothman, *Recreating Motherhood*, Nova Jersey, Rutgers University Press, 1989/2000, p. 10, 13.

15. Christine Finke, "Regretting Motherhood – Nein. Aber", *Mama arbeitet*, 6/4/15. Disponível em: <http://mama-arbeitet.de/gestern-und-heute/regretting--motherhood-nein-aber>

16. <https://twitter.com/hashtag/regrettingmotherhood?lang=de>.

17. Andrea O'Reilly, *Rocking the Cradle. Thoughts on Feminism, Motherhood, and the Possibility of Empowered Mothering*, Toronto, Demeter Press, 2006, p. 14.

18. Patricia Hill Collins, "The Meaning of Motherhood in Black Culture and Mother-Daughter Relationships", *in* Andrea O'Reilly (org.), *Maternal Theory. Essential Reading*, Toronto, Demeter Press, 2007, p. 274-289. bell hooks, "Homeplace. A Site of Resistance", *in* Andrea O'Reilly (org.), *Maternal Theory. Essential Reading*, Toronto, Demeter Press, 2007, p. 266-273.

19. Michal Krumer-Nevo, *Women in Poverty: Life Stories. Gender, Pain, Resistance*, Tel-Aviv, Hakibbutz Hameuchad Publishing House, 2006 [em hebraico].

20. Ibid., p. 92.

21. Lennard J. Davis, *Enforcing Normalcy: Disability, Deafness and the Body*, Londres, Verso, 1995.

22. Orna Donath, *Making a Choice: Being Childfree in Israel*, Tel-Aviv, Miskal-Yedioth Ahronot Books e Migdarim Hakibutz Hameuchad, 2011 [em hebraico].

23. Comentário em seguida ao artigo: Maike Schultz, "Att bli mamma har inte tillfört något till livet", Svenska Dagbladet, 15/9/15.

24. <http://www.tapuz.co.il/forums2008/forumpage.aspx?forumId=1105>.

25. Jean E. Veevers, *Childless By Choice*, Toronto, Butterworths, 1980, p. 82.

26. Annalee Newitz, "Murdering Mothers", in Molly Ladd-Taylor e Lauri Umansky (orgs.), *"Bad" Mothers: The Politics of Blame in Twentieth-Century America*, Nova York, New York University Press, 1998, p. 334-356.

27. Ibid., p. 352.

28. <http://www.tapuz.co.il/forums2008/forumpage.aspx?forumId=1105>.

29. Sarah Diehl, Die Uhr, die nicht tickt, Zurique/Hamburgo, Arche Verlag, 2014.

30. Diana Meyers Tietjens, "The Rush to Motherhood: Pronatalist Discourse and Women's Autonomy", *Signs: Journal of Women in Culture and Society*, 2001, 26(3):735-73.

31. Eva Illouz, *Cold Intimacies: The Making of Emotional Capitalism*, Cambridge, Reino Unido, Polity Press, 2007.

NOTAS

32. Sharon Hays, *The Cultural Contradictions of Motherhood*, New Haven, Yale University Press, 1996, p. 154.

33. Elisheva Baumgarten, *Mother and Children: Jewish Family Life in Medieval Europe*, Princeton, Princeton University Press, 2004. Shulamith Shahar, *Childhood in the Middle Ages*, Londres, Routledge, 1990.

34. Tradução de Shulamith Shahar, *Childhood in the Middle Ages*, Londres, Routledge, 1990, p. 25.

35. *Epistolário de Abelardo e Heloísa*, segundo a edição alemã do Dr. Paul Baumgärtner, Stuttgart, Redam, 1984, p. 34.

36. Donath, Orna. "I love my children but rather they would not be here", *Ynet*, 25/6/09, [em hebraico]. Disponível em: <http://www.ynet.co.il/articles/0,7340,L-3734681,00.html>.

37. Judith Tucker Stadtman, "The New Future of Motherhood", *The Mothers Movement Online*, 2005. Disponível em: <http://www.mothersmovement.org/features/mhoodpapers/new_future/mmo_new_future.pdf>.

Epílogo

1. Janet Landman, *Regret: The Persistence of the Possible*, Nova York, Oxford University Press, 1993, p. 5.

2. Rustum Roy e Della Roy, *Honest Sex*, New American Library, 1968, citado em Ellen Peck, *The Baby Trap*, Nova York, Bernard Geis Associates, 1971, p. 67-68.

Agradecimentos

Este livro não se tornaria realidade sem as mulheres, homens e instituições que o apoiaram e me apoiaram.

Em primeiro lugar e acima de tudo, gostaria de agradecer a vocês – Bali, Brenda, Carmel, Charlotte, Debra, Doreen, Edith, Erika, Grace, Jackie, Helen, Jasmine, Liz, Maya, Naomi, Nina, Odelya, Rose, Sky, Sophia, Sunny, Susie e Tirtza – as mulheres que participaram de meu estudo. Sua confiança, em meio ao nosso clima social, não pode e não deve ser subestimada. Este livro é dedicado a todas e a cada uma de vocês.

Sem Margret Trebbe-Plath, nada teria sido como foi. Obrigada por fazer o livro acontecer de uma forma que uniu línguas, países e corações humanos.

Sinto-me abençoada e não poderia ter pedido uma equipe de trabalho mais sensível, criativa e sensata para cuidar de palavras que significam o mundo para mim.

Britta Egetemeier e todas as profissionais da Knaus Verlag – obrigada por percorrerem esse caminho comigo. Estimo sua dedicação a tirar do silêncio as coisas não ditas entre nós mulheres e mães.

Sou grata à professora Hanna Herzog e ao professor Haim Hazan, que orientaram meus estudos como aluna de doutorado do Departamento de Sociologia e Antropologia da Universidade de Tel-Aviv (Israel) e acreditaram na minha capacidade de trabalhar por conta própria ao mesmo tempo que tiveram o cuidado de manter a fantástica rede de proteção que eu precisava sob meus pés.

Como a pesquisa foi financiada pela bolsa de excelência do presidente da Universidade de Tel-Aviv (Israel) e pela bolsa Jonathan Shapira para excelência em pesquisas de doutorado do Departamento de Sociologia e Antropologia da Universidade de Tel-Aviv (Israel), gostaria de agradecer sua generosidade e confiança. Estendo minha gratidão também aos pesquisadores da área de estudos de gênero da Universidade de Ben-Gurion (Israel), que iluminaram o caminho que eu queria percorrer.

Minha família e a família que escolhi merecem toda a minha gratidão, por serem pacientes comigo diariamente durante anos, em fins de semana e feriados. Se eu não soubesse que vocês nunca desistiriam de esperar com amor e preocupação até que eu voltasse das sombras do processo de escrever, teria sido muito mais difícil mergulhar e desaparecer.

E a você, meu amor. Os sentimentos mais profundos de gratidão pela sua existência que me sustenta.

O texto deste livro foi composto em Sabon LT Std,
desenho tipográfico de Jan Tschichold de 1964,
baseado nos estudos de Claude Garamond e
Jacques Sabon no século XVI, em corpo 11/16.
Para títulos e destaques, foi utilizada a tipografia
Frutiger LT Std, desenhada por Adrian Frutiger em 1975.

A impressão se deu sobre papel off-white
pelo Sistema Digital Instant Duplex da Divisão
Gráfica da Distribuidora Record.